SO-AWL-326

教育部《中学语文教学大纲》
指定书目

中学生课外文学名著必读

论语通译

徐志刚 著

人民文学出版社

（京）新登字 002 号

图书在版编目(CIP)数据

论语通译/徐志刚译注 . - 北京：人民文学出版社，
2000.7 重印
"中学生课外文学名著必读"丛书
ISBN 7 - 02 - 003173 - 0

Ⅰ. 论… Ⅱ. 徐… Ⅲ. 论语 - 译文 Ⅳ. B222.2

中国版本图书馆 CIP 数据核字(2000)第 21314 号

策 划 编 辑：李明生 王 涛
责 任 编 辑：马玉梅
责 任 印 制：王景林

人 民 文 学 出 版 社 出 版
（100705 北京朝内大街 166 号）
新华出版社印刷厂印刷 新华书店发行
字数 195 千字 开本 850×1168 毫米 1/32 印张 8.625 插页 2
1997 年 1 月北京第 1 版 2000 年 7 月北京第 3 次印刷
印数 40001—60000
定价 12.00 元

丛书出版说明

　　为了培养学生创新精神,提高学生综合素质,深化教育改革,教育部在新世纪来临之际,对《九年义务教育全日制初级中学语文教学大纲》和《全日制普通高级中学语文教学大纲》进行了全面的修订。中学语文教学大纲是语文教师从事教学活动的基本准则,是学生进行语文学习的主要依据。根据素质教育的要求,着眼于学生语文整体水平的提高,修订后的教学大纲第一次明确具体地指定了中学生课外文学名著必读书目,要求广大中学生阅读。为此,我们编辑出版了这套"中学生课外文学名著必读"丛书,丛书的书目均为教学大纲所指定。为了帮助学生阅读,我们在每部名著的前面都附上一篇由专家撰写的导读文章,深入浅出地介绍该书的有关情况,引导学生理解作品。版本完善,注释详尽,译文准确,适合中学生阅读,是这套丛书的主要特点。我们相信,它一定能够成为中学生朋友们的良师益友,成为中学生家庭的必备藏书。

人民文学出版社编辑部

2000 年 3 月

导　　读

　　《论语》，从字面意思上说就是语言的论纂，用现代汉语说，就是语录，是孔子弟子及其后学对孔子言行的追记，也有一些是对孔子弟子言行的记录。

　　这样一本言行录，篇幅也不大，不过二十篇，一万一千馀字，却在中国历史上产生了极为深远的影响。《论语》的出现，标志着中国私人著书的开始。在先秦时期，作为一个显要学派的创始人的言行录，它有着相当广泛的读者。秦始皇焚书坑儒，《论语》也在禁毁之列。但入汉以后，儒学及其典籍却获得统治者的青睐。特别是汉武帝罢黜百家、独尊儒术后，《论语》列入学官，被视为“五经之辐辏，六艺之喉衿”（赵岐《孟子题辞》），地位日益尊显。元延祐年间，以《四书》开科取士，《论语》文句更是“自学子束发诵读，至于天下推施奉行”（康有为《论语注》），成为悬诸日月而不刊的金科玉律。这种状况直到五四新文化运动后，才有所改变。五四新文化运动的一个重要内容，就是猛力抨击孔子和儒学。陈独秀认为儒家思想与“德先生”（民主）和“赛先生”（科学）是格格不入的，“儒者三纲之说”实际上是一种“奴隶道德”。胡适、鲁迅、吴虞等人也猛烈抨击了儒家的孝道、贞节观念，提出要“打倒孔家店”，“正因为二千年吃人的封建礼教法制都挂着孔丘的招牌，故这块孔丘的招牌——无论是老店，是冒牌——不能不拿下来，捶碎，烧去。”（胡适《吴虞文录序》）其实，封建统治者的尊孔自有它的用心，新文化运动的反孔，也有其特定的历史环境，是一种历史的选择。那么，作为新世纪的读者，我们又应该怎么看待《论语》呢？

首先，我们应该把《论语》看作是资料，是研究孔子及儒家思想最可靠的、第一手的资料。《论语》一书有孔子弟子的笔墨，也有其再传弟子的笔墨，这些作者的时代，相去不止三五十年。但据学者认定，《论语》的编定可能在战国初年即已完成，定州汉简本《论语》的出土也向世人证明了约在公元前55年，《论语》一书已完全定型。中国古籍往往真伪混杂，在流传过程中羼入许多后人的东西，不能作为信史。而《论语》早在汉代就已获得了超乎众学的地位，成为意识形态的一个有机的组成部分，任何对《论语》的增删篡改都是非法的，这就大大增加了《论语》所存资料的可信度。无论是儒家学说还是孔子本人，由于统治意识的介入，早已笼罩上层层迷雾，胡适所谓的"冒牌"即指后人对孔子思想有意无意的曲解。有了《论语》，我们就可以从头脑里抛开被封建统治者神圣化了的、高不可及的"先圣"，也抛开在外来文明冲击下被打倒在地，背负着一身罪状的"孔老二"，用我们自己的眼睛去发现孔子、理解孔子。也许读完了《论语》，你会有这么一个印象，孔子就是这么一个循循善诱的师长。他知道每个学生的个性，子路性子急躁，他就劝他三思而后行；冉有性情和缓，他就教他闻义而行，不要犹豫。这就叫因材施教。他就是这么一个理想的热烈追求者。他周游列国推行自己的政治主张，"知其不可为而为之"，不论遇到怎样的困厄也不退缩。他就是这么一个语笑晏晏的老者，像普通人一样有着喜怒哀乐。时光的流逝让他伤感，高兴起来还会跟学生开开玩笑。他就是这么一个知权达变的智者。后人抨击孔子最多的是他的礼教，孔子讲"克己复礼"，那不错，但孔子的"礼"绝不是那么不近情理。古人行成人礼要戴"麻冕"，但做这种帽子比较费时费工，人们遂多用丝布来做礼帽。孔子说："俭，吾从众。"（《子罕》）可见孔子绝不是一个整天板着脸告诉你"这不行、那不行"的老头子，绝没有拘泥固执、自以为是的毛病。

其次，我们应该认识到《论语》对中国历史的影响，是无论如何估计都不过分的。它的思想内容、思维方式、价值取向都早已融入了我们民族的血液，沉潜在我们的生命中，熔铸成我们民族的个性。《论语》一书集中阐述了儒家思想的核心内涵——仁。《论语》中"仁"字凡一百零九见，它是一切理论的中心，所有的关于"礼"、"乐"的规范，都不过是手段，是为实现"仁"这一道德的最后完善而服务的。不过，这样一个一以贯之的重要理念，孔子却从未给它一个很明确的定义，它只是很宽泛地体现在孔子提倡的为人处世、为政治国的具体原则中的。

说到为人处世，孔子提倡的是自爱和爱人。孔子对天命持谨慎的态度，他更相信人自己的力量。他认为人"性相近也，习相远也"（《阳货》），一切要看个人后天的努力。他鼓励年轻人要奋发向上，"后生可畏"，怎么见得后来人不如现在的人呢。在人际交往中，孔子强调的是忠和恕。"忠"就是以忠实诚信的态度对人，以恪尽职守的态度待事；"恕"就是要推己及人，"己所不欲，勿施与人"，"君子成人之美，不成人之恶"。从忠恕的原则出发，孔子最讨厌人"巧言令色"，讨厌人刻意去掩饰自己的错误或真实想法。人不怕犯错误，只要勇于改正就好。孔子就常坦言自己这方面或那方面不如自己的弟子；言行不当的时候，一经别人指出，他会立即道歉并改正。他的弟子子贡就曾感慨过："君子之过也，如日月之食焉：过也，人皆见之；更也，人皆仰之。"（《子张》）

说到为政治国，孔子重视民生疾苦，呼唤仁政，希望统治者以仁义之心待民，要勤政、节用、有信、不烦政扰民。他尖锐地指出"苛政猛于虎",鲁国遭遇灾害,国库空虚,鲁哀公问孔子该怎么办。孔子说可以减税。哀公不解,孔子说:"百姓足,君孰与不足?百姓不足,君孰与足?"(《颜渊》)他还要求最高统治者在选拔任用官吏时,一定要慎重,不仅要"听其言",还要"观其行"。强调无论什么法令法规,统治者都要首先以身作则,"其身正,不令而行;其身不正,虽令不行"。抛开具体的政治措施,这些施政原则,时值今日不是仍为人们所奉行吗?

总之,作为最高的道德原则,"仁"统率着忠、恕、孝、悌、宽、恭、信、敏、惠、智、勇、刚、毅等诸多道德规范。这些道德规范,不仅有着极为普遍的进步意义,而且达到了一个相当的高度。法国启蒙思想家伏尔泰就对《论语》所载的格言"己所不欲,勿施于人"、"以直报怨,以德报德"极为推崇,认为"西方民族,无论如何格言,如何数理,无可与此纯粹道德相比拟"。其实,《论语》中阐述的这些基本规范,与其说是道德,不如说是智慧,一种从极朴素的自然法则中演绎出的生命的大智慧。

当然,《论语》中也有一些思想是与历史的潮流相背离的,如他政治上的复古倾向,他对等级、秩序的过分强调,他的内敛的人格价值取向等,这一切不容否认的都给中国社会的发展带来了负面影响,需要我们用现代意识对之加以修正。但瑕不掩瑜,在人类文明刚刚露出曙光的先秦时代,我们的祖先就具有如此深刻的生命智慧,是足以让我们这些后人为之骄傲的。

《论语》是语录体散文,主要是记言,用口语写成,有着简练、晓畅、雍容和顺、迂徐含蓄的风格。许多句子内涵丰富,用意深远,成为人们耳熟能详的日常生活用语,像"岁寒,然后知松柏之后凋"、"敏而好学,不耻下问"、"小不忍则乱大谋"、"道不同不相为谋"、"三军可夺帅也,匹夫不可夺志也"等,至今都还被人们频繁引用,有着鲜活的生命力。《论语》的许多篇章有着很强的现场感,寥寥数语,人物情态及场景毕现。读着它,你会恍然以为自己正置身孔门弟子中,聆听着孔子的教诲,并不会感到太多的时空和语言的隔膜。这一切奠定了《论语》在中国散文发展史和修辞学上的地位。

《论语》作为中华文化的代表,早在秦汉时期就传入了朝鲜和日本,日本《大宝令》还指定它为日本学生的必修课。1594年,传教士利玛窦将它译为拉丁文后,它又被转译为意、法、德、英、俄等多种文字,在西方各国广泛传播。《论语》是中国的,也是世界的,惟其已经走向世界,我们中国人才更应该珍视它,用现代人的眼光,好好审视它,自觉地去汲取其精华,剔除其糟粕,让祖国文化的优秀传统更加发扬光大。

人民文学出版社编辑部

二〇〇〇年三月

前　言

　　孔子(前551—前479)是我国历史上伟大的思想家、教育家,儒家学派的创始人。他对我国古代文化的整理、研究和传播,他的思想和学说,为中国文化乃至世界文明,做出了不朽贡献。联合国教科文组织把他列为世界十大历史名人之一,由此可见他在世界文明史中的地位。

　　孔子,名丘,字仲尼,春秋后期鲁国陬邑(今山东曲阜东南陬城)人。孔子的祖先本是殷商后裔。周灭殷后,周成王封商纣王的庶兄微子启于宋,建都商丘(今河南商丘一带)。微子启死后,其弟微仲继位。微仲即孔子的先祖。

　　微仲的四世孙弗父何,也就是孔子的十一世祖,本该继位为宋公,却让位给了弟弟。从此,弗父何的后裔不再继承王位,而被封为卿,世代承袭,其采邑为栗(今河南夏邑)。自弗父何后五代传至孔子的六世祖孔父嘉。从此,他的后世子孙开始以孔为姓。这便是孔姓的起源。孔父嘉传三世至孔防叔。孔防叔是孔子的曾祖,为避宋国内乱,迁到鲁国定居。孔子的父亲叔梁纥是鲁国有名的武士,曾任陬邑大夫,故又称"陬叔纥"。叔梁纥先娶施氏,生九女而无子。其妾生有一子名孟皮,但因有足疾,亦不宜继嗣。叔梁纥遂于晚年再娶年轻女子颜徵在,生孔子。据说孔子刚出生时,头顶的中间凹下;又因颜氏曾去尼丘(一名尼山,在曲阜东南)向神明祈祷,然后才怀了孕,所以,父母给孔子起名为丘,字仲尼。"仲"是排行第二的意思。孔子约三岁时,叔梁纥病故,颜氏带他离开郰邑,到国都曲阜的阙里居住,当时家境相当贫苦。

孔子自幼聪明好学,童年时游戏,就常摆各种祭器,仿效大人们祭祀时的礼仪动作。十一岁时,曾跟鲁太师学习周礼。到二十岁时,已掌握了很多文化知识,有"博学好礼"的美誉。二十岁左右,颜氏去世。这一时期,孔子做过"相礼",从事"儒"这一职业。"儒"本是古代从巫史祝卜中分化出来的一种社会职业。从事这一职业的,都是有一定文化礼乐知识的人,专为贵族人家"相礼",主持婚丧祭祀。后又做过"委吏"(仓库管理人员)、"乘田"(管理牧场牛羊),还做过贵族季氏家的史官。因为孔子曾做过"儒",后来又成为著名学者,所以,由他创立的学派便称为"儒家"。

公元前517年,孔子三十五岁,鲁国发生内乱,他去齐国做了贵族高昭子的家臣。经高推荐,齐景公曾向孔子咨询过治国的道理。几年后,齐国大夫中有人想害孔子,他遂离齐返鲁。当时的鲁国,贵族之间互相夺权争利,政治紊乱。孔子不愿任官职,便居家专心研究、整理《诗》、《书》、《礼》、《乐》、《易》等文化典籍。同时开坛设教,广收弟子,努力兴办教育事业。

孔子五十一岁时,被鲁定公任为中都(邑名,在今山东汶上西)宰,掌管一地的行政事务,颇有政绩。一年后任司空,主管建筑工程。又升任大司寇,主管司法两年。五十六岁时代理宰相,兼管外交事务。孔子执政时,将扰乱政事的大夫少正卯杀掉,以严肃法纪;整顿社会秩序,使百姓各守礼法,路不拾遗,四方来客都得到照顾。孔子虽才代理宰相三个月,就把鲁国治理得有声有色。齐国见孔子主政,担心鲁国强盛了会对齐国造成威胁,便设法加以破坏。于是,挑选女乐80人,良马120匹,华车30辆,送给鲁君。鲁国国君接受了齐国的馈赠,沉湎于女乐,一连三天不上朝问政。孔子对鲁君大失所望,在公元前 497 年五十五岁时,离开鲁国,开始了他的"周游列国"之行。这次出行,孔子先后到过卫、曹、宋、陈、蔡、楚等国,共历十四年而终不见用,于公元前 484 年六十八岁时返回鲁国。

晚年回乡的孔子,一面继续整理文化典籍,专心编修鲁国的史书《春秋》;一面大规模开展教育事业,相传收弟子多达三千人,其中精通六艺的著名弟子有七十二人。

公元前 479 年,孔子七十三岁时,大病七天而卒。

孔子思想、学说的精华,比较集中地见之于《论语》一书。

《论语》是"语言的论纂",也就是"语录"的意思。东汉班固《汉书·艺文志》说:"《论语》者,孔子应答弟子、时人及弟子相与言而接闻于夫子之语也。当时弟子各有所记。夫子既卒,门人相与辑而论纂,故谓之《论语》。"这就是说,《论语》是孔子和他的弟子以及弟子之间关于各项事物的讨论记录的汇编,是由孔子弟子及再传弟子(主要是曾参的弟子)编辑成书的。

现在通行的《论语》共 20 篇,约 11000 馀字。每篇都从文中第一句话里节取两三个字作篇名,如《学而》、《述而》、《公冶长》等。旧时,为了研读方便,一部《论语》分上下两部分。"上论"自《学而篇第一》至《乡党篇第十》,"下论"自《先进篇第十一》至《尧曰篇第二十》。按历史沿习的读音,《论语》的"论"字读"轮"。

《论语》的内容,以伦理教育为主,包括哲学、历史、政治、经济、艺术、宗教等方面,从中可以看出许多当时社会的政治生活情况,看出孔子对政治的见解、对社会的理想、对教育的主张,也可看出孔子和他的弟子们的人格修养、治学态度和处世方法。言简意赅,哲理深蕴,发人深省。不少语句,经历代沿用,已成为格言或成语,如:吾日三省吾身、见义勇为、既往不咎、不耻下问、三思而后行、举一反三、任重而道远、后生可畏、欲速则不达等。

有些片段,如"子在川上曰:'逝者如斯夫,不舍昼夜。'"还颇具抒情意味。

当然,孔子的思想也不可避免地存在一些消极因素。在政治思想上倾向保守,在礼乐制度上主张复古,轻视妇女,轻视劳动等,这些在《论语》中也有体现,需要我们在阅读时注意鉴别。匡亚明先生说得好:"孔子思想中既有消极因素,也有积极因素,这两种不同因素导致了两种不同后果,前者使中国封建社会长期停滞不前,后者则形成了中华民族某些优良传统和特点。这种矛盾现象是孔子思想内在二重性(矛盾性)的毫不奇怪的必然产物。"(《孔子评传》)无论如何,孔子对中国社会的影响是巨大的,《论语》一书由此也就在中国文化史上占据了一个十分重要的地位。

《论语》自战国前期成书问世以后,经过秦始皇的焚书坑儒,几乎遭到灭绝。到了西汉,秦朝的"挟书律"被废除,朝廷明令"大收篇籍,广开献书之路"。有些冒着生命危险藏留下书籍的人,纷纷向朝廷"献书",这时的《论语》出现了三种版本:

一、《鲁论语》,20篇。

二、《齐论语》,22篇。其中20篇与《鲁论语》大致相同,而多出《问王》、《知道》两篇。

三、《古文论语》,21篇。《古文论语》也没有《问王》、《知道》两篇,但把《尧曰篇》从"子张问于孔子"以下另分为一篇,形成两个《子张篇》,篇次也与《鲁论》、《齐论》不同,文字差别亦大。《古文论语》是汉景帝三年(前154)鲁恭王刘馀大建宫殿时,坏孔子故宅,从墙壁中发现的。全书为蝌蚪文所写,相传是在秦代焚书坑儒时孔子九代孙孔鲋所藏,又称《孔壁古文》。

《鲁论语》、《齐论语》在西汉时都各有传家,而《古文论语》只有孔安国为之作注,并无传授。至西汉末,经学博士、被汉成帝封为安昌侯的张禹(？—前5)以《鲁论语》为定篇目的根据,融合《齐论语》而为《张侯论》。东汉灵帝熹平四年(175),由蔡邕(132—192)手写六经,刻石立于太学前的所谓"熹平石经"(现存西安碑林),《论语》经文就是用的《张侯论》。后世流传至今的《论语》版本,基本上是东汉经学大师郑玄(127—220)以《张侯论》为底本,参照《古文论语》加以整理而成的。

关于《论语》的注疏,历代都有学者在作。著名的有东汉郑玄的《论语注》,三国魏何晏的《论语集解》,南朝梁皇侃的《论语义疏》,唐代陆德明的《经典释文》,宋代邢昺的《论语注疏》、朱熹的《四书章句集注》,清代朱彝尊的《经义考》、刘宝楠的《论语正义》,近代杨树达的《论语疏证》等。其中刘宝楠的《论语正义》能破除门户之见,详采各家之说,并融进自己的研究心得,是世所公认的学术价值较高的一种。本书即以此书为底本。

我自幼学读《论语》,早有夙愿,要写出一部译意准确、注释简明、语言流畅、文字通俗的《论语》译本。蒙人民文学出版社大力支持,今已付梓。既久怀弘扬之志,当广求批评之言。自料本书或有谬误、不当之处,恳请专家读者不吝赐教,批评指正。

徐 志 刚
于济南大学

目 录

学而篇第一

主要讲"务本"的道理，引导初学者入"道德之门"。

子曰①："学而时习之，不亦说乎②！有朋自远方来，不亦乐乎！人不知而不愠③，不亦君子乎！"

【今译】

孔子说："学习了而时常温习，不也高兴吗！有朋友从远方来，不也快乐吗！别人不了解我，我并不怨恨，不也是君子吗！"

【注释】

① 子：古代，对有地位、有学问、有道德修养的人，尊称为"子"。这里是尊称孔子。

② 说（yuè 月）：同"悦"，高兴，喜悦。

③ 愠（yùn 运）：怨恨，恼怒。

有子曰①："其为人也孝弟②，而好犯上者，鲜矣③；不好犯上，而好作乱者，未之有也。君子务本，本立而道生。孝弟也者，其为仁之本与④。"

【今译】

有子说："做人，孝顺父母，尊敬兄长，而喜好冒犯长辈和上级的，是很少见的；不喜好冒犯长辈和上级，而喜好造反作乱的人，是没有的。君子要致力于根本，根本确立了，治国、做人的原

1

则就产生了。所谓'孝''悌',可为'仁'的根本吧。"

【注释】

① 有子:鲁国人,姓有,名若,字子有。孔子的弟子。比孔子小三十三岁,生于公元前518年,卒年不详。另说,比孔子小十三岁。后世,有若的弟子也尊称有若为"子",故称"有子"。

② 弟(tì替):同"悌"。弟弟善事兄长,称"悌"。

③ 鲜(xiǎn显):少。

④ 与:同"欤"。语气词。

子曰:"巧言令色①,鲜矣仁。"

【今译】

孔子说:"花言巧语,一副和气善良的脸色,这种人是很少有仁德的。"

【注释】

① 令色:面色和善。这里指以恭维的态度讨好别人。

曾子曰①:"吾日三省吾身②:为人谋而不忠乎? 与朋友交而不信乎? 传不习乎③?"

【今译】

曾子说:"我每天多次检查反省自己:为别人出主意做事情,是否忠实呢? 和朋友交往,是否真诚讲信用呢? 对老师所传授的知识,是否复习了呢?"

【注释】

① 曾(zēng增)子:姓曾,名参(shēn身),字子舆。曾晢之子。鲁国南武城(在今山东省枣庄市附近)人。孔子的弟子。比孔子小四十六岁,生于公元前505年,卒于公元前435年。其弟子也尊称曾参为"子"。

② 省(xǐng醒):检查反省自己。

③ 传:老师传授的知识、学问。孔子教学,有"六艺":礼,乐,射,御,

书,数。

子曰:"道千乘之国①,敬事而信,节用而爱人,使民以时。"

【今译】

孔子说:"治理拥有一千辆兵车的诸侯国,要严肃慎重、专心认真办理国家的政事,又严守信用;节约财政开支,又爱护部下和人民;按照农时的忙闲去役使人民。"

【注释】

① 道:同"导"。领导,治理。 乘(shèng 胜):古代称四匹马拉的一辆车为"一乘"。古代军队使用兵车,每辆兵车用四匹马拉,车上有身着盔甲的士兵三人,车下跟随有步兵七十二人,另有相应的后勤人员二十五人,因此,所谓"一乘"的实际兵力就是一百人,并非单指四匹马拉一辆车。按规定,"八百家出车一乘"。古代衡量一个诸侯国的大小强弱,就是看它拥有多少兵车,所谓"千乘之国","万乘之尊"。

子曰:"弟子,入则孝,出则弟①,谨而信,泛爱众而亲仁。行有馀力,则以学文。"

【今译】

孔子说:"孩子们,在家要孝顺父母,出门要尊敬兄长,做人言行要谨慎讲信用,广泛地与众人友爱,亲近有仁德的人。这样做了还有馀力,就要用来学习各种文化知识。"

【注释】

① 出:外出,出门。一说,离开自己住的房屋。 弟:同"悌"。尊敬兄长。

子夏曰①:"贤贤易色②;事父母,能竭其力;事君,能致其身③;与朋友交,言而有信。虽曰未学,吾必谓之学矣。"

【今译】

子夏说:"尊重有贤德的人,而看轻貌美的女色;事奉父母,能尽力而为;为君主做事,能有献身精神;和朋友交往,说话诚实能讲信用。这样的人即使是说没学习过什么,我也一定要说他是学习过了。"

【注释】

① 子夏:姓卜,名商,字子夏。孔子的弟子。比孔子小四十四岁,生于公元前507年,卒年不详。

② 贤贤:第一个"贤"做动词用,表示敬重,尊崇;第二个"贤"是名词,即"圣贤"的"贤",指有道德有学问的高尚的人。 易:轻视,不看重。一说,"易"释为"移",移好色之心而好贤德。

③ 致:做出奉献。

子曰:"君子不重则不威,学则不固①。主忠信。无友不如己者②。过则无惮改③。"

【今译】

孔子说:"君子[举止]不庄重,就没有威严,[态度]不庄重,学习的知识学问就不巩固。做人主要讲求忠诚,守信用。不要同不如自己的人交朋友。如果有了过错,就不要害怕改正。"

【注释】

① 固:巩固,牢固。一说,固执,闭塞不通。

② 无:同"毋"。不要。 友:做动词用。交朋友。

③ 过:错误,过失。 惮(dàn旦):怕。

曾子曰:"慎终①,追远②,民德归厚矣。"

【今译】

曾子说:"要谨慎地办理好丧事,虔诚地追祭祖先,[这样做了,]人民的道德就会归复忠厚老实。"

【注释】

① 终:寿终,指父母去世。

② 远:远祖,祖先。

子禽问于子贡曰①:"夫子至于是邦也②,必闻其政,求之与,抑与之与③?"子贡曰:"夫子温、良、恭、俭、让以得之。夫子之求之也,其诸异乎人之求之与④?"

【今译】

子禽问子贡:"我们老师每到一个诸侯国,一定会了解那一国的政事,是他自己求来的呢,还是别人主动告诉他的呢?"子贡说:"老师是靠温和、善良、恭敬、俭朴、谦让来了解政事的。[也可以说是求来的,但是,]老师求得的方法,大概与别人求得的方法不相同吧?"

【注释】

① 子禽:姓陈,名亢(kàng 抗),字子禽。一说,即原亢。陈国人。孔子的弟子(一说,不是孔子的弟子)。 子贡:姓端木,名赐,字子贡。卫国人。孔子的弟子。比孔子小三十一岁,生于公元前 520 年,卒年不详。

② 夫子:孔子的弟子敬称孔子。古代凡做过大夫官职的人,可称"夫子"(孔子曾任鲁国司寇)。 邦:诸侯国。

③ 抑与之与:"抑",连词,表示选择,"还是……"。"与之",给他。最后的"与",同"欤",语气词。

④ 其诸:或者,大概。

子曰:"父在,观其志;父没,观其行,三年无改于父之道①,可谓孝矣。"

【今译】

孔子说:"[看一个人,]当他父亲在世的时候,要看他的志向;父亲死后,要考察他的行为,如果三年都不改变他父亲所坚持的准则,这样的人可以说是做到了孝。"

【注释】

① 三年:按照周礼的规定,父亲死后,儿子要守孝三年。这里也可指一段较长的时间,或多年以后。

有子曰:"礼之用①,和为贵。先王之道②,斯为美。小大由之。有所不行,知和而和,不以礼节之③,亦不可行也。"

【今译】

有子说:"礼的应用,以[遇事做到]和谐为可贵。古代贤王治理国家的方法,可贵之处就在于此。小事大事,都依着这个原则。如果有的地方行不通,只知道为和谐而和谐,不用礼来调节和约束,那也是不可以的。"

【注释】

① 礼:指周礼。周代先王留下的仪礼制度。
② 先王:指周文王等古代的贤王。
③ 节:节制,约束。

有子曰:"信近于义①,言可复也②。恭近于礼,远耻辱也③。因不失其亲④,亦可宗也⑤。"

【今译】

有子说:"讲信用,要符合于义;这种符合于义的信约诺言,才能去实践、兑现。恭敬,要符合于礼,[这样做,]就能避免耻辱。所依靠的,应当是亲近自己的人,[只有这些人]才是可尊崇而靠得住的。"

【注释】

① 近:符合,接近。　义:合理的,有道理的,符合于周礼的。
② 复:实践,实行。
③ 远:避免,免去。
④ 因:依靠,凭借。

⑤　宗:尊奉,尊崇,可靠。

子曰:"君子食无求饱,居无求安,敏于事而慎于言,就有道
而正焉①,可谓好学也已。"

【今译】

孔子说:"君子吃饭不追求饱足,居住不追求享受安逸,做事
勤快敏捷,说话小心谨慎,向有道德的人看齐,时时改正自己的
缺点错误,[这样做,]就可以说是一个好学的人了。"

【注释】

①　就:靠近,接近。

子贡曰:"贫而无谄,富而无骄,何如?"子曰:"可也,未若贫
而乐,富而好礼者也。"子贡曰:"《诗》云:'如切如磋,如琢如
磨。'①其斯之谓与?"子曰:"赐也,始可与言《诗》已矣,告诸往而
知来者②。"

【今译】

子贡说:"贫穷而不去巴结奉承,富裕而不骄傲自大,[这种
人]怎么样呢?"孔子说:"也算可以了,[但是,]还不如贫穷仍然
快快乐乐,富裕而爱好礼义的人。"子贡说:"《诗经》说:'要像加
工骨头、牛角、象牙、玉石一样,经过切磋琢磨[才能成为精美的
器物]。'就是讲的这个意思吧?"孔子说:"端木赐呀,我可以开始
同你谈论《诗经》了。告诉你已经发生的事,你就可以知道未来
的事。"

【注释】

①　"如切"句:出自《诗经·卫风·淇奥》篇。"切",古代把骨头加工成
器物,叫切。"磋(cuō 搓)",把象牙加工成器物。"琢(zhuó 浊)",雕刻玉
石,做成器物。"磨",把石头加工成器物。

7

② "告诸"句："诸"，"之于"的合音。"往"，已发生的事，已知的事。"来"，尚未发生的事，未知的事。这里孔子是夸子贡能举一反三。

子曰："不患人之不己知①，患不知人也。"

【今译】

孔子说："不怕别人不了解自己[的长处好处]，怕的是自己不了解别人[的好歹]。"

【注释】

① 不己知："不知己"的倒装句。"知"，了解，理解。

为 政 篇 第 二

(共二十四章)

主要讲治理国家的道理和方法。

子曰:"为政以德,譬如北辰①,居其所而众星共之②。"

【今译】

孔子说:"[国君]治理国家,用道德教化来推行政治,就像北极星一样,处于它一定的方位上,而群星都环绕在它的周围。"

【注释】

① 北辰:北极星。距地球约782光年。由于太远,从地球上看它似乎不动,实际仍在高速运转。

② 共:同"拱"。环绕。

子曰:"《诗》三百,一言以蔽之①,曰:'思无邪②。'"

【今译】

孔子说:"《诗经》三百[零五]篇,用一句话来概括[它的全部内容],可以说是:'思想纯正,没有邪恶的东西。'"

【注释】

① 蔽(bì 毕):概括,包盖。

② 思无邪:原出《诗经·鲁颂·駉》篇。孔子借用这句话来评论《诗经》。

子曰:"道之以政①,齐之以刑②,民免而无耻③;道之以德,

9

齐之以礼,有耻且格④。"

【今译】

孔子说:"用行政命令来治理,用刑法来处罚,人民虽然能避免犯罪,但还不是从心里知道[犯罪]是可耻的;用道德教化来治理,用礼来约束,人民就会有羞耻之心,而且会[自觉地]改过。"

【注释】

①　道:同"导"。治理,引导。

②　齐:整治,约束,统一。

③　免:避免,指避免犯错误。　无耻:做了坏事,心里不知羞耻;没有(或缺乏)羞耻之心。

④　格:正,纠正。

子曰:"吾十有五而志于学①,三十而立,四十而不惑,五十而知天命②,六十而耳顺,七十而从心所欲,不逾矩。"

【今译】

孔子说:"我十五岁时开始立志学习;三十岁时能自立于世;四十岁时遇事就不迷惑;五十岁时懂得了什么是天命;六十岁时能听得进不同的意见;到了七十岁时才能达到随心所欲,想怎么做便怎么做,也不会超出规矩。"

【注释】

①　有:同"又"。表示相加。"十有五",即十加五,十五岁。

②　天命:这里的"天命"含有上天的意旨、自然的禀赋与天性、人生的道义和职责等多重含义。

孟懿子问孝①,子曰:"无违。"樊迟御②,子告之曰:"孟孙问孝于我,我对曰:'无违。'"樊迟曰:"何谓也?"子曰:"生,事之以礼;死,葬之以礼,祭之以礼。"

【今译】

孟懿子问怎样做是孝，孔子说："不违背[周礼]。"樊迟为孔子赶马车，孔子对他说："孟孙氏问我怎样做是孝，我回答他：'不违背[周礼]。'"樊迟说："是什么意思呢?"孔子说："[父母]在世时，按周礼侍奉他们；去世了，要按周礼为他们办丧事，按周礼祭祀他们。"

【注释】

① 孟懿(yì 意)子：姓仲孙，亦即孟孙，名何忌，"懿"是谥号。鲁国大夫。与叔孙氏、季孙氏共同把执鲁国朝政。他的父亲孟僖子临终时嘱咐他要向孔子学礼。

② 樊(fán 凡)迟：姓樊，名须，字子迟。孔子的弟子。曾与冉(rǎn 染)求一起为季康子做事。生于公元前 515 年，卒年不详，比孔子小三十六岁。 御：赶车，驾车。

孟武伯问孝①。子曰："父母，唯其疾之忧②。"

【今译】

孟武伯问怎样做是孝。孔子说："对父母，要特别担忧他们的疾病。"

【注释】

① 孟武伯：姓仲孙，名彘(zhì 志)。是前一章提到的孟懿子的儿子。"武"是谥号。

② 其：代词，指父母。此句意思是：唯忧父母疾。一说，"其"，指子女。"疾"，指品德行为上的毛病。意思是：父母唯忧其疾。做父母的就是担心子女的品行不好。所以，孝顺父母，就要自己品德好，不要使父母担忧。另说，"其"指子女，"疾"指疾病。"言父母爱子之心，无所不至，惟恐其有疾病，常以为忧也。人子体此，而以父母之心为心，则凡所以守其身者，自不容于不谨矣。"(朱熹《四书集注》)

子游问孝①，子曰："今之孝者，是谓能养。至于犬马，皆能有养。不敬，何以别乎？"

【今译】

子游问怎样做是孝，孔子说："现在所谓孝顺，总说能够奉养父母就可以了。[但这却是很不够的，因为]对狗对马，也都能做到饲养它。如果对父母[只做到奉养]而不诚心孝敬的话，那和饲养狗马有什么区别呢？"

【注释】

① 子游：姓言，名偃（yǎn 演），字子游。吴国人。生于公元前506年，卒年不详。孔子的弟子。比孔子小四十五岁。

子夏问孝，子曰："色难①。有事，弟子服其劳②；有酒食，先生馔③，曾是以为孝乎④？"

【今译】

子夏问怎样做是孝，孔子说："[对父母]和颜悦色，是最难的。[如果仅仅做到]有了事，孩子为父母去做；有了酒饭，让父母吃，[但是，子女的脸色却很难看，]难道能算是孝吗？"

【注释】

① 色：脸色。指和颜悦色；心里敬爱父母，脸面上好看。

② 弟子：晚辈。指儿女。

③ 先生：长辈。指父母。 馔（zhuàn 赚）：吃喝。

④ 曾（zēng 增）：副词。难道。 是：代词。此，这个。

子曰："吾与回言终日①，不违，如愚。退而省其私②，亦足以发，回也不愚。"

【今译】

孔子说："我给颜回讲学问一整天，他都不提不同的意见，好像是很愚笨。[可是,]课后我考察他私下里的言行,发现他对我所讲的课能充分发挥,颜回并不是愚笨的。"

【注释】

① 回:姓颜,名回,字子渊,又称颜渊。鲁国人。生于公元前521年(一说,公元前511年),卒于公元前480年。是孔子早年最忠实的弟子,被孔子器重、厚爱。比孔子小三十(一说四十)岁。

② 省(xǐng 醒):观察,考察。

子曰:"视其所以①,观其所由②,察其所安。人焉廋哉③?人焉廋哉?"

【今译】

孔子说:"[了解人,要]看他言行的动机,观察他所采取的方法,考察他安心于做什么。[这样去了解,]人怎么能隐瞒得了呢? 人怎么能隐瞒得了呢?"

【注释】

① 以:根据,原因,言行的动机。一说,"以",通"与"。引申为与谁,同谁,结交什么样的朋友。

② 由:经由,走的道路。指为达到目的而采用的方式方法。

③ 焉:代词,表疑问。哪里,怎么。 廋(sōu 搜):隐藏,隐瞒。

子曰:"温故而知新①,可以为师矣。"

【今译】

孔子说:"时时温习已经学过的知识,由此就能获取新的更深的知识,这样就可以为人师表了。"

【注释】

① 故:旧的,原先的。

子曰:"君子不器①。"

【今译】

孔子说:"君子不要像器具一样[只有固定的某一方面的用处]。"

【注释】

① 器:器具,只有一种固定用途的东西。比喻人只具备一种知识,一种才能,一种技艺。

子贡问君子①,子曰:"先行其言而后从之。"

【今译】

子贡问怎样做才是君子,孔子说:"在说之前,先去实行,然后再按照做了的去说。"

【注释】

① 君子:古代有学问有道德有作为的人,人格高尚的人,或有官职、地位高的人都可称"君子"。

子曰:"君子周而不比①,小人比而不周②。"

【今译】

孔子说:"君子能[在道义上]团结人但不[以私情而]互相勾结;小人善于拉拢勾结而不[在道义上]团结人。"

【注释】

① 周:同周围的人相处得很好,合群,团结。 比(bì 毕):本义是并列,挨着。在这里有贬义:为私情而勾结,拉帮结伙,结党营私。

② 小人:不正派、不道德、人格卑鄙的人。古代也称地位低的人。

子曰:"学而不思则罔①,思而不学则殆②。"

【今译】

孔子说:"学习了而不深入思考,就会迷惑;[但]只是去空想而不去学习,那就危险了。"

【注释】

①　思:思考,思维。　　罔(wǎng 网):同"惘"。迷惑,昏而无得。一说,欺罔,蒙蔽,受骗。另说,"罔",即无,无所得。

②　殆(dài 代):危险。一说,没有信心。

子曰:"攻乎异端①,斯害也已②。"

【今译】

孔子说:"去攻读钻研邪说,那就有害了。"

【注释】

①　攻:指学习攻读,专治,钻研。一说,攻击。　　异端:不同的学说、主张。

②　斯:代词。这,那。　　已:语气词,表慨叹,相当"矣"。一说,停止,完毕。则此章的意思是:攻击那些邪说,祸害就没有了。

子曰:"由①,诲女②,知之乎?知之为知之,不知为不知,是知也③。"

【今译】

孔子说:"仲由,我教导你的[知识],知道了吗?知道就是知道,不知道就是不知道,这种态度才是明智的。"

【注释】

①　由:姓仲,名由,字子路,又字季路。鲁国卞(今山东省平邑县东北)人。是孔子早年的弟子。长期跟随孔子,是忠实的警卫。曾做季康子的家臣,后死于卫国内乱。生于公元前 542 年,卒于公元前 480 年,比孔子小九岁。

②　诲(huì 会):教导,教育,诱导。　　女:同"汝"。你。

③　知:前五个"知"字,是知道,了解,懂得。最后"是知也"的"知",同"智"。明智,聪明,真知。　　之:代词。指孔子所讲授的知识、学问。

子张学干禄①。子曰："多闻阙疑②,慎言其馀,则寡尤③;多见阙殆,慎行其馀,则寡悔。言寡尤,行寡悔,禄在其中矣。"

【今译】

子张学习如何谋求做官。孔子说："要多听[各种意见],把觉得可怀疑的地方避开,谨慎地说出其馀的,这样就能少犯错误;要多看[各种情况],把觉得有危险的事情避开,谨慎地去做其馀的,这样就能减少后悔。说话少出错,做事少后悔,谋求官职的机会就在其中了。"

【注释】

① 子张:姓颛(zhuān 专)孙,名师,字子张。陈国人。孔子晚年的弟子,比孔子小四十八岁。生于公元前503年,卒年不详。 干禄:求仕,谋求做官。"干",求,谋。"禄",官吏的俸禄,官职。

② 阙:空,缺,有所保留。

③ 寡:少。 尤:过错,错误。

哀公问曰①:"何为则民服②?"孔子对曰:"举直错诸枉③,则民服;举枉错诸直,则民不服。"

【今译】

鲁哀公问:"怎样做才能使人民服从呢?"孔子回答说:"选拔正直的人,安排的位置在邪恶的人之上,人民便服了;选拔邪恶的人,安排的位置在正直的人之上,人民就不服了。"

【注释】

① 哀公:鲁国鲁定公的儿子,姓姬,名蒋。"哀"是死后的谥号。在位二十七年(自公元前494年至公元前466年)。

② 何为:怎样做,做什么。

③ 举:选拔,推举。 直:正直的、正派的人。 错:同"措",放置,安排。一说,废置,舍弃。 诸:"之于"的合音。 枉:不正直、不正派、邪

16

恶的人。

季康子问①:"使民敬,忠以劝②,如之何?"子曰:"临之以庄③,则敬;孝慈,则忠;举善而教不能,则劝。"

【今译】

季康子问:"要使人民对我尊敬,对我忠实而又努力干,应该如何办呢?"孔子说:"你要用庄重严肃的态度来对待,人民就会尊敬你;你[倡导]对父母孝顺,对众人慈爱,他们就会忠实于你;你选拔任用善良优秀的人,又教育那些能力差的人,人民就会互相勉励而努力干了。"

【注释】

① 季康子:姓季孙,名肥。"康"是谥号。"子",是尊称。鲁哀公时,任正卿(宰相),政治上最有势力。

② 以:连词。而。 劝:努力,勤勉。

③ 临:对待。

或谓孔子曰①:"子奚不为政②?"子曰:"《书》云③:'孝乎惟孝,友于兄弟,施于有政④。'是亦为政,奚其为为政⑤?"

【今译】

有人对孔子说:"你为什么不参与政治呢?"孔子说:"《尚书》里有句话说:'孝啊就是孝敬父母,并以友爱的态度对待兄弟。倡导孝悌的道理推广到政治方面。'这也算是参与了政治,'为什么非做官才算是参与政治呢?"

【注释】

① 或:代词。有人。

② 奚:疑问词。何,怎么。

③ 书:指《尚书》。是商周时期的政治文告和历史资料的汇编。孔子在这里引用的三句,见于伪古文《尚书·君陈》篇。

④ 施:推广,延及,影响于。 有:助词,无意义。

⑤ "奚其"句:"奚",为什么。"其",代词,指做官。"为",是。"为政",参与政治。鲁定公初年,孔子没有出来做官,所以,有人疑其不为政。

子曰:"人而无信①,不知其可也。大车无輗②,小车无軏③,其何以行之哉④?"

【今译】

孔子说:"人不讲信用,真不知道怎么可以呢![就好比]大车上没有輗,小车上没有軏,它靠什么行走呢?"

【注释】

① 信:讲信用,说了算数。

② 輗(ní 尼):古代大车(用牛拉,以载重)车辕前面横木上揳嵌的起关联固定作用的木销子(榫头)。

③ 軏(yuè 月):古代小车(用马拉,以载人)车辕前面横木上揳嵌的起关联固定作用的木销子(榫头)。

④ 何以:以何,用什么,靠什么。

子张问:"十世可知也①?"子曰:"殷因于夏礼②,所损益③,可知也;周因于殷礼,所损益,可知也;其或继周者,虽百世,可知也。"

【今译】

子张问:"往后十个朝代[礼法制度]的事,可以知道吗?"孔子说:"商朝继承了夏朝的礼制,所减少的和增加的,是可以知道的;周朝又继承了商朝的礼制,所减少的和增加的,可以知道;将来如有继承周朝的[礼法制度,其基本内容不过增增减减],即使传下一百代之久,也是可以知道的。"

【注释】

① 世:古时称三十年为一世。这里指朝代。

② 殷:就是商朝。商朝传至盘庚(商汤王的第九代孙),从奄(今山东省曲阜市)迁都于殷(今河南省安阳县西北),遂称殷。商是国名,殷是国都之名。　因:因袭,沿袭。　礼:指整个仪礼制度,是规范社会行为的法则、规范、仪式的总称。

③ 损益:减少和增加。

子曰:"非其鬼而祭之①,谄也。见义不为,无勇也。"

【今译】

孔子说:"不是自己的祖先却去祭祀它,就是谄媚。遇到符合正义的事而不去做,就是没有勇气。"

【注释】

① 鬼:这里指死去的祖先。

八佾篇第三

(共二十六章)

主要记孔子论礼乐之事。

孔子谓季氏①, 八佾舞于庭②, 是可忍也, 孰不可忍也③?

【今译】

孔子谈论季氏, 说他在家庙的庭院里居然冒用了八佾规格的乐舞, 这种事如果可以容忍, 那还有什么不可以容忍的事呢?

【注释】

① 季氏:鲁国正卿季孙氏。此指季平子, 即季孙意如。一说, 季桓子。

② 八佾:"佾(yì 意)", 行, 列。特指古代奏乐舞蹈的行列。一佾, 是八个人的行列;八佾, 就是八八六十四个人。按周礼规定, 天子的乐舞, 才可用八佾。诸侯, 用六佾;卿、大夫, 用四佾;士, 用二佾。按季氏的官职, 只有用四佾的资格, 但他擅自僭(jiàn 剑。超越本分)用了天子乐舞规格的八佾, 这是不可饶恕的越轨行为。

③ "是可"句:"忍", 容忍。"孰", 疑问代词。什么。一说, "忍", 忍心。则这两句的意思是:这样的事他都忍心做出来, 什么事他不忍心做呢?

三家者①, 以《雍》彻②。子曰:"'相维辟公, 天子穆穆③', 奚取于三家之堂④?"

【今译】

孟孙氏、叔孙氏、季孙氏这三家,在桓公庙祭祖完毕时,让乐工唱着《雍》诗,来撤掉祭品。孔子说:"[《雍》诗上说:]'协助祭祀的是四方诸侯,天子才是庄严肃穆的主祭者。'为什么在你三家祭祖的庙堂上却用了唱《雍》诗的仪式?"

【注释】

① 三家:春秋后期掌握鲁国政权的三家贵族:孟孙氏(即仲孙氏)、叔孙氏、季孙氏。他们是鲁桓公之子仲庆父(亦称孟氏)、叔牙、季友的后裔,又称"三桓"。在这三家中,以季孙氏势力最大。他们自恃有政治经济的实力,所以经常有越轨周礼的行为,多次受到孔子的批判。

② 雍:《诗经·周颂》中的一篇。古代,天子祭祀宗庙的仪式举行完毕后,在撤去祭品收拾礼器的时候,专门唱这首诗。亦作"雝"。 彻:同"撤"。撤除,拿掉。

③ "相维"句:《诗经·周颂·雍》中的句子。"相(xiàng 向)",本指协助,帮助。这里指傧相,助祭者。"维",助词,没有意义。"辟(bì 毕)",本指君王。这里的"辟公",指诸侯。"穆穆",庄严肃静。形容至美至敬。

④ 奚:何,怎么,为什么。 堂:祭祀先祖或接待宾客的庙堂。

子曰:"人而不仁,如礼何①? 人而不仁,如乐何?"

【今译】

孔子说:"一个人不讲仁德,如何对待礼呢? 一个人不讲仁德,如何对待乐呢?"

【注释】

① 如礼何:"如……何"是古代常用句式,当中一般插入代词、名词或其他词语,意思是"把(对)……怎么样(怎么办)"。

林放问礼之本①。子曰:"大哉问! 礼,与其奢也②,宁俭;丧,与其易也③,宁戚④。"

【今译】

林放问礼的根本是什么。孔子说:"意义重大啊,你提的问题。从礼节仪式来说,与其奢侈,不如节俭;从治办丧事来说,与其在仪式上搞得很隆重而完备周到,不如心里真正悲哀地悼念死者。"

【注释】

① 林放:姓林,名放,字子上。鲁国人。一说,孔子的弟子。

② 与其:连词。在比较两件事的利害得失而决定取舍的时候,"与其"用在放弃的一面。后面常用"毋宁"、"不如"、"宁"相呼应。

③ 易:本义是把土地整治得平坦。在这里指周到地治办丧葬的礼节仪式。

④ 戚:心中悲哀。

子曰:"夷狄之有君①,不如诸夏之亡也②。"

【今译】

孔子说:"夷狄虽有君主[却没有礼仪],还不如中原诸国没有君主[却保留着礼仪]好呢。"

【注释】

① 夷:我国古代东方少数民族。 狄:我国古代北方少数民族。

② 诸夏:当时中原黄河流域华夏族居住的各个诸侯国。 亡:同"无"。鲁国的昭公、哀公,都曾逃往国外,形成某一时期内鲁国无国君的现象。由此,孔子发出感叹。

季氏旅于泰山①。子谓冉有曰②:"女弗能救与③?"对曰:"不能。"子曰:"呜呼! 曾谓泰山不如林放乎④?"

【今译】

季氏去祭祀泰山。孔子对冉有说:"你不能劝阻吗?"冉有回答说:"不能。"孔子说:"啊呀! 莫非说泰山之神还不如鲁国人林放[知道礼]吗?"

① 旅:古代,祭祀山川叫"旅"。　泰山:在今山东省泰安市。按周礼规定,天子才有资格祭祀天下名山大川,诸侯只有资格祭祀在其封地境内的名山大川。季康子不过是鲁国的大夫,却去祭祀泰山,这是越礼行为。

② 冉有:姓冉,名求,字子有,也称冉有。鲁国人,仲弓之族。孔子的弟子,比孔子小二十九岁,生于公元前 522 年,卒年不详。冉有当时是季康子的家臣。

③ 女:同"汝"。你。　弗:不。　救:补救,劝阻,设法匡正。　与:同"欤"。语气词。

④ 曾:副词。莫非,难道,竟然。

子曰:"君子无所争。必也射乎①!揖让而升②,下而饮。其争也君子。"

【今译】

孔子说:"君子之间没有可争的事。[如果有争,]那一定是射箭比赛吧![就算是射箭相争,也是]互相作揖,谦让,然后登堂;[射箭比赛完了]走下堂来,又互相敬酒。这种争,就是君子之争。"

【注释】

① 射:本是射箭。此指射礼——按周礼所规定的射箭比赛。有四种:一,大射(天子,诸侯,卿,大夫,选属下善射之士而升进使用)。二,宾射(贵族之间,朝见聘会时用)。三,燕射(贵族平时娱乐之用)。四,乡射(民间习射艺)。

② 揖:作揖。拱手行礼,以表尊敬。

子夏问曰:"'巧笑倩兮①,美目盼兮②,素以为绚兮③。'何谓也?"子曰:"绘事后素④。"曰:"礼后乎?"子曰:"起予者商也⑤!

始可与言《诗》已矣。"

【今译】

子夏问道:"'美好的笑容真好看啊,美丽的眼睛黑白分明眼珠转啊,粉白的脸庞着色化妆绚丽多彩好打扮啊。'是什么意思呢?"孔子说:"先有了白地子,然后才画上画。"[子夏]又问:"[这使我想到,]礼节仪式是不是在[仁德之]后呢?"孔子说:"能阐明我的意思的是你卜商呀!现在开始可以同你谈论《诗》了。"

【注释】

① 巧笑:美好的笑容。 倩(qiàn 欠):指笑时面容格外妍美,笑容好看。 兮:助词。啊,呀。

② 盼:眼珠黑白分明,转动灵活。

③ 绚:有文彩,绚丽多彩。"巧笑"二句,见《诗经·卫风·硕人》篇。"素以为绚兮",不见于现在通行的《毛诗》,可能是佚句。

④ 绘事后素:"绘事",画画。"后",后于,在……之后。"素",白地子。意思说:画画总是先有个白地子,然后才能画。一说,女子先用素粉敷面,然后才用胭脂、青黛等着色,打扮得漂亮。

⑤ 起:发挥,阐明。 予:我。 商:卜商,即子夏。

子曰:"夏礼,吾能言之,杞不足征也①;殷礼,吾能言之,宋不足征也②。文献不足故也③。足,则吾能征之矣。"

【今译】

孔子说:"夏朝的礼,我能说出来,[但是,夏的后代]杞国[现在施行的礼仪]却不足以作为考证的证明;殷代的礼,我能说出来,[但是,殷的后代]宋国[现在施行的礼仪]却不足以作为考证的证明。因为文字资料不足,熟悉夏礼、殷礼的贤人也不多。如果'文''献'足够的话,我就能用它来作考证的证明了。"

【注释】

① 杞(qǐ 起):古国,现在河南省杞县一带。杞国的君主是夏朝禹的

后代。　征：证明，引以为证。

②　宋：古国，现在河南省商丘市南部一带。宋国的君主是商朝汤的
后代。

③　文：指历史文字资料。　献：指贤人。古代，朝廷称德才兼备的
贤人为"献臣"。

子曰："禘自既灌而往者①,吾不欲观之矣②。"

【今译】

孔子说："举行禘祭的典礼时，从第一次的献酒之后，我就不
愿看下去了。"

【注释】

①　禘(dì 地)：古代只有天子才可以举行的祭祀祖先的隆重典礼。
既：已经。　灌：禘礼初始即举行的献酒降神仪式。古代祭祀祖先，一般
用活人坐在灵位前象征受祭者(这个人叫"尸")。煮香草为"郁"，合黍酿
成气味芬芳的一种酒"郁鬯(chàng 唱)"。将"郁鬯"献于"尸"前，使其闻一
闻酒的香气而并不饮用，然后将酒浇在地上。这整个过程就叫"灌"。

②　不欲观：不愿看，看不下去了。鲁国是周公旦的封地。据《礼记》
记载，周公死后，他的侄儿周成王(姬诵)为了追念周公辅佐治国的伟大功
勋，特许周公的后代在祭祀时举行最高规格的"禘礼"。但这毕竟是不合
礼的。而且，一般在经过"灌"的仪式以后，鲁国的君臣往往也都表现懈怠
而无诚意了。所以，孔子说了"不欲观"的话。

或问禘之说。子曰："不知也①。知其说者之于天下也，其
如示诸斯乎②！"指其掌。

【今译】

有人问起举行"禘祭"的来由道理。孔子说："不知道。能懂
这种道理的人治理天下，会像把东西摆在这里一样吧！"[孔子一
面说，一面]指着自己的手掌。

① 不知也:孔子对鲁国"禘祭"不满,所以,他故意避讳,说不知道"禘祭"的道理。

② "其如"句:"示",同"置"。摆,放。"诸","之于"的合音。"斯",这。指手掌。这句话的意思是:像把东西摆在掌中一样明白而容易。一说,"示",同"视"。

祭如在,祭神如神在。子曰:"吾不与祭①,如不祭。"

【今译】

祭祀祖先就如同祖先真在那里,祭祀神就如同神真在那里。孔子说:"我如果不亲自参加祭祀,[而由别人代祭,]那就如同不祭祀一样。"

【注释】

① 与:参与,参预,参加。

王孙贾问曰①:"与其媚于奥②,宁媚于灶③。何谓也?"子曰:"不然。获罪于天,无所祷也。"

【今译】

王孙贾问:"[人们说]与其奉承奥神,不如奉承灶神。这话怎么讲?"孔子说:"不是那样。如果得罪了天,向谁祈祷都是没有用的。"

【注释】

① 王孙贾:卫灵公时卫国的大夫,有实权。

② 媚:谄媚,巴结。 奥:本义指室内的西南角。这里指屋内西南角的神。古时尊长居西南,所以奥神的地位应比灶神尊贵些。

③ 灶:本义是炉灶,用来烹煮食物或烧水。从夏代就以灶为神,称"灶君",为"五祀之一",即老百姓所说的"灶王爷"。旧俗,阴历腊月二十三(或二十四)日,烧纸马,供奉饴糖,送灶神上天,谓之"送灶";腊月三十

日(除夕),又迎回来,谓之"迎灶"。灶神地位虽较低,但上可通天,决定人的祸福,故当时人们的俗话才说"宁媚于灶":祭祀神明时首先要奉承巴结的是灶神。

子曰:"周监于二代①,郁郁乎文哉②! 吾从周。"

【今译】

孔子说:"周代[政治礼乐制度等]是借鉴于夏商两代[而发展演变建立起来的],多么丰盛啊! 我尊从周代[的一切]。"

【注释】

① 监:通"鉴"。本义是镜子。引申为照,考察,可以作为警戒或引为教训的事。在这里是借鉴于前代的意思。 二代:指夏、商两个朝代。

② 郁郁:原意是草木丰盛茂密的样子,也指香气浓厚。这里指繁盛,丰富多彩,文采显著。

子入太庙①,每事问。或曰:"孰谓鄹人之子知礼乎②? 入太庙,每事问。"子闻之,曰:"是礼也。"

【今译】

孔子进入太庙[助祭],对每件事都询问。有人说:"谁说鄹邑人的儿子知道礼呢? 进入太庙,每件事都要问一问。"孔子听到,说:"这样做,就是礼啊。"

【注释】

① 太庙:古代指供奉祭祀君主祖先的庙。开国的君主叫太祖,太祖的庙叫太庙。因为周公(姬旦)是鲁国最初受封的君主,所以,当时鲁国的太庙,就是周公庙。

② 孰谓:谁说。 鄹(zōu 邹):又写为"陬","郰"。春秋时鲁国的邑名,在今山东省曲阜市东南一带。孔子的父亲叔梁纥(hé 和)在鄹邑做过大夫。"鄹人",指叔梁纥。"鄹人之子",即指孔子。

子曰:"射不主皮①,为力不同科②,古之道也。"

【今译】

孔子说:"[在举行射礼比赛时,]射箭主要不在于射穿那皮靶子,因为各个人的力气大小有所不同,自古以来就是这个道理。"

【注释】

① 射不主皮:"射",射箭。周代仪礼制度中有专门为演习礼乐而举行的射箭比赛,称"射礼"。这里的"射"即指此。"皮",指用兽皮做成的箭靶子。古代,箭靶子叫"侯",用布做或用皮做。《仪礼·乡射礼》:"礼射不主皮。"射礼比赛,射箭应当以是否"中的"为主,而不在于用力去射,把皮靶子穿透。这与作战比武的"军射"不同。那是提倡用力射的,有"射甲彻七札(穿透甲革七层)"之说。

② 力:指每个人天生的力气。 科:指等级,类别。

子贡欲去告朔之饩羊①。子曰:"赐也! 尔爱其羊②,我爱其礼。"

【今译】

子贡主张要把"告朔"时祭祖庙的那头饩羊去掉。孔子说:"端木赐呀! 你爱惜的是那头羊,我爱惜的却是那种礼仪。"

【注释】

① 告朔:阴历的每月初一,叫"朔"。古代制度,诸侯在每月的初一来到祖庙,杀一只活羊举行祭礼,表示每月"听政"的开始,叫"告朔"。其实,在当时的鲁国,君主已不亲自到祖庙去举行"告朔"礼了。 饩(xi戏):活的牲畜。

② 尔:代词。你。

子曰:"事君尽礼①,人以为谄也②。"

【今译】

孔子说："事奉君主,完全按照周礼的规定,别人却以为这样做是[对君主]谄媚。"

【注释】

① 事:事奉,服务于。

② 谄(chǎn 产):谄媚,用卑贱的态度向人讨好,奉承。

定公问①:"君使臣②,臣事君,如之何③?"孔子对曰:"君使臣以礼,臣事君以忠。"

【今译】

鲁定公问:"君主使用臣,臣事奉君主,应当怎样呢?"孔子回答:"君主使用臣应当以礼相待,臣事奉君主应当以忠诚相待。"

【注释】

① 定公:鲁国的君主,姓姬,名宋,谥号"定"。襄公之子,昭公之弟,继昭公而立。在位十五年(公元前 509—前 495 年)。鲁定公时,孔子担任过司寇,代理过宰相。鲁定公的哥哥昭公,曾被贵族季氏赶出国外。因此,鲁定公询问孔子,如何正确处理君臣关系,以维持政权。

② 使:使用。

③ 如之何:如何,怎样。"之"是虚词。

子曰:"《关雎》乐而不淫①,哀而不伤。"

【今译】

孔子说:"《关雎》篇,[它的主题表现了]快乐,而不放荡;忧愁,而不悲伤。"

【注释】

① 关雎(jū 居):《诗经》第一篇的篇名。因它的首句是"关关雎鸠,在河之洲。"故名。"雎鸠",是古代所说的一种水鸟。"关关",是雎鸠的鸣叫声。这是一首爱情诗。古代也用这首诗作为对婚礼的祝贺词。 淫:放纵,放荡,过分。

哀公问社于宰我①。宰我对曰:"夏后氏以松②,殷人以柏,周人以栗,曰:使民战栗③。"子闻之,曰:"成事不说,遂事不谏④,既往不咎⑤。"

【今译】

鲁哀公问宰我,祭祀土地神的神主[要用什么木料做牌位]。宰我回答:"夏朝人用松树,商朝用柏树,周朝用栗子树。[用栗的意思是]说:让老百姓战栗。"孔子听了以后,[批评宰我]说:"已经做过的事不用再说了,已经完成的事不必再劝谏了,已经过去的事不要再去责备追究了。"

【注释】

① 社:土地神。这里指的是制作代表土地神的木头牌位。 宰我:姓宰,名予,字子我。又称宰我。鲁国人。孔子早年的弟子。

② 夏后氏:本是部落名。相传禹是部落领袖。禹的儿子启,建立了我国历史上第一个朝代——夏朝。后世指夏朝的人,就称"夏后氏"。以:用。 松:古人以为神要凭借某种东西才能来享受人对神的祭祀,而把这种所凭借的东西称为"神主"(木制的牌位)。夏代人用松木做土地神的神主。一说,是指栽树以作祭祀。夏代人居住在河东(今山西省西南部),山野适宜栽松树;殷代人居住在北亳(今河南省商丘市以北),山野适宜栽柏树;周代人,居住在酆镐(fēng hào 风浩)(今陕西省西安市西北、西南一带),山野适宜栽栗树。

③ 战栗:因害怕而发抖,哆嗦。这里,宰我"让老百姓战栗"的解释有牵强之处,孔子不满。

④ 遂:已经完成,成功。 谏(jiàn 见):规劝,使改正错误。

⑤ 咎(jiù 旧):责备。

子曰:"管仲之器小哉①!"或曰:"管仲俭乎?"曰:"管氏有三归②,官事不摄③,焉得俭④?""然则管仲知礼乎?"曰:"邦君树塞门⑤,管氏亦树塞门。邦君为两君之好,有反坫⑥,管氏亦有反坫。管氏而知礼,孰不知礼?”

【今译】

孔子说:“管仲的器量小啊!”有人问:“管仲节俭吗?”[孔子]说:“管仲家收取老百姓大量的市租,为他家管事的官员也是一人一职而不兼任,哪能说是节俭呢?”[那人又问:]“那么,管仲知礼吗?”[孔子]说:“国君在宫殿大门前树立一道影壁短墙,管仲家门口也树立影壁短墙。国君设宴招待别国的君主,举行友好会见时,在堂上专门设置献过酒后放空杯子的土台,管仲家也设置这样的土台。若说管仲知礼,那谁算不知礼呢?”

【注释】

① 管仲:姓管,名夷吾,字仲。一名管敬仲。齐国姬姓之后人。颍(yīng 影)上(今安徽省西北部,淮河北岸,颍河下游)人。生年不详,卒于公元前 645 年。春秋初期有名的政治家。帮助齐桓公以“尊王攘夷”相号召,使桓公成为春秋时诸侯中第一个霸主。孔子与管仲的政见不一致,对管仲违背周礼的某些做法,孔子进行了批评。 器:气量,度量,胸襟。

② 有三归:指管仲将照例归公的市租据为己有。“三归”,指市租。

③ 摄:兼任,兼职。当时,大夫的家臣,都是一人常兼数事。而管仲却是设许多管事的家臣,一人一事一职。

④ 焉得:怎么可以,哪能算是。

⑤ 邦君:诸侯,国君。 树:树立,建立。 塞门:“塞”,遮蔽。古代,天子和诸侯,在宫殿大门口筑上一道短墙作为遮蔽物,以区别内外。也称“萧墙”,相当于后世所说的“照壁”,“影壁”。天子的塞门在大门之外,诸侯的塞门在大门之内。

⑥ 反坫:“坫(diàn 电)”,古代设于堂中,供祭祀或宴会时放礼器和酒具的土台子。反坫,是诸侯宴会时的一种礼节。指君主招待别国国君,举行友好会见,献过酒之后,把空杯子放回坫上。

子语鲁大师乐①，曰："乐其可知也：始作，翕如也②；从之③，纯如也④，皦如也⑤，绎如也⑥，以成。"

【今译】

孔子对鲁国的乐官谈演奏音乐，说："奏乐的道理是可以知道的：开始时合奏和谐协调；乐曲展开以后，很美好，节奏分明，又连绵不断，直到乐曲演奏终了。"

【注释】

① 语：动词。对……说。 大师："大"，同"太"。"大师"，就是"太师"，是国家主管音乐的官。

② 翕(xī 西)：和顺，协调。一说，兴奋，热烈。

③ 从：通"纵"。放纵，展开。

④ 纯：美好，善，佳。

⑤ 皦(jiǎo 饺)：明亮，清晰，音节分明。

⑥ 绎(yì 意)：连续，连绵不断。

仪封人请见①，曰："君子之至于斯也②，吾未尝不得见也。"从者见之③。出曰："二三子何患于丧乎④？天下之无道也，天将以夫子为木铎⑤。"

【今译】

有一位在仪地防守边界的官员，请求见孔子。他说："凡是君子到这地方来的，我从来没有不能见的。"随从孔子的弟子领这官员去见了孔子。这官员出来以后，[对孔子的弟子们]说："你们几位何必担心[孔子]没有官职呢？天下无道，上天必将以孔子做为发布政令的木铎。"

【注释】

① 仪封人："仪"，地名，卫国的一个邑，在今河南省兰考县境内。"封"，边界。仪封人，指在仪这个地方镇守边界的官员。一说，封人仪姓。孔子周游列国，到过陈(今河南省淮阳县)、蔡(今河南省上蔡县西南)一

带,故能与仪地边界的官员见面。

② 斯:代词。这个地方。

③ 从者:随从孔子的弟子。

④ 二三子:这里是称呼孔子弟子。"二三",表示约数,犹言"各位"。"子",对人的尊称。 患:担忧,犯愁,担心。 丧:失去。这里指孔子失掉官位,没有官职。孔子原为鲁国的司寇,后离鲁去卫,又去陈,政治抱负未能实现。

⑤ 木铎:"铎(duó夺)",一种金口木舌的大铜铃。古代以召集群众,下通知,宣布政教法令,或在有战事时使用。这里是以"木铎"作比喻,说孔子将能起到为国家发布政令的作用(管理天下)。

子谓《韶》①:"尽美矣②,又尽善也③。"谓《武》④:"尽美矣,未尽善也。"

【今译】

孔子谈到《韶》这一乐舞说:"美极了啊,又好极了。"谈到《武》这一乐舞说:"美极了啊,还不够很好。"

【注释】

① 韶(sháo勺):传说上古虞舜时的一组乐舞,也叫"大韶"。古解:"韶"就是"绍(继承)",舞乐主题表现了"舜绍尧之道德",即指虞舜通过禅让继承帝位,故舞乐中有一种太和之气,可以称为"尽善"。

② 美:指乐舞的艺术形式,音调声容之盛美。

③ 善:指乐舞的思想内容,蕴藉内涵之美。

④ 武:周代用于祭祀的"六舞"之一,是表现周武王战胜殷纣王的一组音乐和舞蹈,也叫"大武"。古解:武王用武除暴,为天下所乐。《诗经·周颂》中有《武》篇,为武王克殷后作,乃赞颂武王武功的乐舞歌词。孔子认为武王伐纣虽顺应天意民心,但毕竟经过征战,故说"未尽善"。

子曰:"居上不宽①,为礼不敬②,临丧不哀,吾何以观之哉!"

孔子说:"居上位,待人不宽厚;举行仪礼时不恭敬;参加丧礼时不表示哀悼,我如何能看得下去呢?"

【注释】

①　上:上位,高位。　　宽:待人宽厚,宽宏大量。

②　敬:恭敬,郑重,慎重。

里仁篇第四

(共二十六章)

主要讲仁德的道理。

子曰:"里仁为美①。择不处仁②,焉得知③?"

【今译】

孔子说:"居住在有仁德的地方才是美好的。如果不选择有仁德的住处,哪能算得上是明智呢?"

【注释】

① 里:邻里。周制,五家为邻,五邻(二十五家)为里。这里用作动词,居住。 仁:讲仁德而又风俗淳厚的地方。一说,有仁德的人。文中的意思就是:与有仁德的人居住在一起,为邻里。

② 处:居住,在一起相处。

③ 焉:怎么,哪里,哪能。

子曰:"不仁者不可以久处约①,不可以长处乐②。仁者安仁,知者利仁③。"

【今译】

孔子说:"没有仁德的人,不能长久过穷困生活,也不能长久过安乐生活。有仁德的人才能安心于实行仁德,有智慧的人才能善于利用仁德。"

【注释】

① 约:贫困,俭约。

② 乐:安乐,富裕。

③ 知:同"智"。

子曰:"唯仁者能好人①,能恶人②。"

【今译】

孔子说:"只有有仁德的人,才能[公正得当的]喜爱某人,憎恨某人。"

【注释】

① 好(hào 号):喜爱,喜欢。

② 恶(wù 务):厌恶,讨厌。

子曰:"苟志于仁矣①,无恶也②。"

【今译】

孔子说:"[一个人]如果立志去实行仁德,那就不会去做坏事了。"

【注释】

① 苟:假如,如果。 志:立志。

② 恶:坏,坏事。

子曰:"富与贵,是人之所欲也;不以其道得之,不处也①。贫与贱,是人之所恶也;不以其道得之,不去也②。君子去仁,恶乎成名③? 君子无终食之间违仁④,造次必于是⑤,颠沛必于是⑥。"

【今译】

孔子说:"发财和升官,是人们所想望的,[然而,]若不是用正当的方法去获得,君子是不接受的。生活穷困和地位卑微,是人们所厌恶的,[然而,]若不是用正当的方法去摆脱,君子是受而不避的。君子假如离开仁德,如何能成名呢? 君子是连吃完一顿饭的工夫也不能违背仁的。[即使是]在最紧迫的时刻也必须按仁德去做,[即使是]在流离困顿的时候也必须按仁德去做。"

【注释】

① 处:享受,接受。

② 去:避开,摆脱。

③ 恶:同"乌"。相当于"何"。疑问副词。怎样,如何。

④ 终食之间:吃完一顿饭的工夫。 违:违背,离开。

⑤ 造次:紧迫,仓卒,急迫。 必于是:必须这样做。"是",代词。这,此。

⑥ 颠沛:本义是跌倒,偃仆。引申为穷困,受挫折,流离困顿。

子曰:"我未见好仁者,恶不仁者。好仁者,无以尚之①;恶不仁者,其为仁矣,不使不仁者加乎其身。有能一日用其力于仁矣乎? 我未见力不足者。盖有之矣②,我未之见也③。"

【今译】

孔子说:"我没见过爱好仁德的人,没见过厌恶不仁的人。爱好仁德的人,是无法超过的;厌恶不仁的人,在实行仁德时,不会让不仁德的人影响自己。有能在某一天用自己的力量去实行仁德的吗? 我还没见过[实行仁德而]力量不够的。这样的人会有的,但我没见过。"

【注释】

① 尚:超过。

② 盖:发语词。表示肯定的语气。

③ 未之见:未见之。没看到过这种人或这种情况。

子曰:"人之过也,各于其党①。观过,斯知仁矣②。"

【今译】

孔子说:"人的错误,各自同他那一类的人一样。观察一个人犯的什么错误,就能知道是哪一类的人了。"

【注释】

① 党:本指古代地方组织,五百家为党。引申为朋辈,意气相投的人,同类的人。

② 斯:代词。那。 仁:同"人"。一说,仁德。句中的意思则是:观察一个人犯的什么错误,就能知道是不是有仁德了。

子曰:"朝闻道①,夕死可矣。"

【今译】

孔子说:"早上明白知晓了真理,晚上就死去,也是可以的。"

【注释】

① 闻:听到,知道,懂得。 道:此指某种真理,道理,原则。也即我们所说的儒家之道。

子曰:"士志于道①,而耻恶衣恶食者,未足与议也。"

【今译】

孔子说:"士有志于道,而又以穿的衣服不好吃的饭菜不好为耻辱,[这种人]是不值得与他谈论的。"

【注释】

① 士:读书人,一般的知识分子,小官吏。

子曰:"君子之于天下也,无适也,无莫也①,义之与比②。"

【今译】

孔子说:"君子对于天下[事情的处理],没有一定要做的,也没有一定不要做的,而是服从于义。"

【注释】

① 适,莫:各家有三种解释:一、"适",厚。"莫",薄。"无适无莫",是一视同仁,对人用情无亲疏厚薄,不要有的亲近,有的冷淡。二、"适",通"敌",指敌对。"莫",通"慕",爱慕。"无适无莫",是"无所为仇,无所欣慕"。三、"适(dí 笛)",主,专主,固定不变。"莫",不肯,没有。"无适无莫",是无可无不可,没有一成不变的。天下的事,事无定形,而有定理。君子处理天下的事,没有一定要做的,也没有一定不要做的,而是唯义是从,只要符合义——合情合理,合于正义,该做便做,不该做便不做,怎么干合适恰当就怎么干。这是朱熹《四书集注》的说法。本书取此说。

② 义之与比:与义靠近,向义靠拢,也就是"与义比之"。"比(bì毕)",从,靠近,亲近。

子曰:"君子怀德,小人怀土;君子怀刑①,小人怀惠。"

【今译】

孔子说:"君子关心的是道德教化,小人关心的是乡土田宅;君子关心的是法度,小人关心的是实惠。

【注释】

① 刑:指法度,典范。

子曰:"放于利而行①,多怨。"

【今译】

孔子说:"为追求私利而行动,会招来许多人的怨恨。"

【注释】

① 放:通"仿"。仿照,效法,依照。引申为一味追求。

子曰:"能以礼让为国乎①,何有②? 不能以礼让为国,如礼何?"

孔子说:"能够以礼让[的原则]来治理国家,那还有什么困难呢? [如果]不能以礼让来治国,如何能实行周礼呢?"

【注释】

① 礼让:按照周礼,注重礼仪与谦让。

② 何有:有何,有什么。这里的意思指还有什么困难。

子曰:"不患无位,患所以立①。不患莫己知,求为可知也。"

【今译】

孔子说:"不担忧没有官职地位,担忧的是自己没有能用以站得住脚的[学问与本领]。不担忧没有人知道自己,只求自己能成为值得别人知道的人。"

【注释】

① 立:站得住脚,有职位,在社会有立足之地。

子曰:"参乎! 吾道一以贯之。"曾子曰:"唯①。"子出,门人问曰:"何谓也?"曾子曰:"夫子之道忠恕而已矣②。"

【今译】

孔子说:"曾参啊! 我所主张的'道'是由一个根本的宗旨而贯彻始终的。"曾子说:"是的。"孔子走出去以后,别的弟子问[曾参]:"[老师的话]是什么意思?"曾子说:"老师所主张的道,不过是忠恕罢了。"

【注释】

① 唯:在这里是应答词。是的。

② 忠:忠诚,真挚诚恳。 恕:不计较别人的过错,对别人宽容。

子曰:"君子喻于义①,小人喻于利②。"

【今译】

孔子说:"君子懂得义,小人只知道利。"

【注释】

① 喻:知道,明白,懂得。 义:公正合宜的道理或举动,合乎正义。

② 利:私利,财利。

子曰:"见贤思齐焉①,见不贤而内自省也②。"

【今译】

孔子说:"看到贤人,就应该想到要向他看齐;看到不贤的人,就应该自我反省。"

【注释】

① 贤:贤人,有德行有才能的人。 齐:平等,向……看齐,与……同等。

② 省(xǐng醒):反省,内省,检查自己的思想行为。

子曰:"事父母几谏①。见志不从,又敬不违,劳而不怨②。"

【今译】

孔子说:"侍奉父母,[假如他们有什么不对的地方,]要委婉地进行劝说。看到父母从心里不愿听从意见,还是要恭恭敬敬,而不要违背;为父母而操劳,也不要怨恨。"

【注释】

① 几(jī基):委婉,轻微,隐微。

② 劳:操劳,辛劳。一说,忧愁。

子曰:"父母在,不远游①,游必有方②。"

【今译】

孔子说:"父母在世,不要远离家乡;[非要]离开家乡[不可],也必须有一定的地方。"

【注释】

①　游:离家出游。如"游学"、"游宦"。

②　游必有方:指让父母知道所游的确定地方,而不要无固定地方地随处飘泊,致使父母挂念担心。"方",方向,方位。

子曰:"三年无改于父之道,可谓孝矣①。"

【今译】

孔子说:"[父亲死后]如果三年都不改变他父亲所坚持的原则,可以说是做到了孝。"

【注释】

①　"三年"句:又见《学而篇第一》第十章。

子曰:"父母之年,不可不知也。一则以喜,一则以惧①。"

【今译】

孔子说:"父母的年龄,不可以不知道。一方面为他们[年高]而喜欢,一方面为他们[年高]而担心。"

【注释】

①　惧:父母年纪大了就必然日益衰老、接近死亡,故忧惧担心。

子曰:"古者言之不出①,耻躬之不逮也②。"

【今译】

孔子说:"古代的人不[轻易]把话说出来,认为说出却做不到是耻辱的。"

【注释】

①　古者:古代的人,也往往指古代有统治地位的、做官的人。

②　耻:羞愧,耻辱。在这里是意动用法,以……为耻。"行"比"言"

难,"行"往往赶不上"言";说了话,如果做不到,就会感到失信的耻辱。
躬:亲身,亲自。这里指自己的行动。　逮:赶上。

子曰:"以约失之者鲜矣①。"

【今译】

孔子说:"经常能约束自己的人,过失就少了。"

【注释】

①　约:约束,检束,谨慎节制。这里指以一种立身处世的原则标准经常来约束自己。　失:过失,犯错误。　鲜:少。

子曰:"君子欲讷于言①,而敏于行②。"

【今译】

孔子说:"君子要谨慎地说话,而要敏捷地行动。"

【注释】

①　讷:本义是说话言语迟钝。这里指说话谨慎,留有分寸。

②　敏于行:"行",行动,行为。《四书集注》说:"放言易,故欲讷;力行难,故欲敏。"意思与《学而篇第一》第十四章"敏于事而慎于言"相同。可参阅。

子曰:"德不孤,必有邻①。"

【今译】

孔子说:"有道德的人不会孤立,必然有同他相亲近的人。"

【注释】

①　邻:邻人,邻居。这里指思想品格一致,志向相同,能共同合作的人。

子游曰:"事君数①,斯辱矣②;朋友数,斯疏矣。"

【今译】

子游说:"事奉君主,[如果]频繁地反复提意见,就会招致羞辱;对待朋友,[如果]频繁地反复提意见,就会造成疏远。"

【注释】

① 数(shuò硕):屡次,多次。这里指频繁、烦琐地提意见,过分地反复进行劝谏。《四书集注》说:"事君,谏不行,则当去;导友,善不纳,则当止。至于烦渎,则言者轻、听者厌矣。是以求荣而反辱,求亲而反疏也。"一说,"数"读 shǔ(音暑)。列举,数落,当面指责。则本章的意思是:应注意批评的方式方法,不要当面直说、指出对方的过失加以责备;这样做,反而使对方脸面上下不来台,不容易接受,致"辱"致"疏"。

② 斯:副词。就。

公冶长篇第五

（共二十八章）

主要讲古今人物的贤否得失。

子谓公冶长①："可妻也②。虽在缧绁之中③，非其罪也。"以其子妻之④。

【今译】

孔子说到公冶长："可以把女儿嫁给他。他虽然被囚禁在监狱中，但不是他有罪过。"〔于是〕把女儿嫁给了公冶长。

【注释】

①　公冶长：姓公冶，名长，字子芝。鲁国人（一说，齐国人）。孔子的弟子。传说懂得鸟语。

②　妻：本是名词，在这里作动词用，读 qì(音气)。把女儿嫁给他。

③　缧绁(léi xiè 雷谢)：捆绑犯人用的黑色的长绳子。这里代指监狱。

④　子：指自己的女儿。

子谓南容①："邦有道②，不废③；邦无道，免于刑戮④。"以其兄之子妻之。

【今译】

孔子谈论南容，说："国家有道的时候，他被任用做官；国家无道的时候，他也会避免受刑戮。"〔于是〕把哥哥的女儿嫁给了南容。

【注释】

① 南容:姓南宫,名适(kuò阔),一作"括",又名绦(tāo 涛),字子容。鲁国孟僖子之子,孟懿子之兄(一说,弟),本名仲孙阅,因居于南宫,以之为姓。谥号敬叔,故也称南宫敬叔。孔子的弟子。

② 邦有道:指社会秩序好,政治清明,局面稳定,政权巩固,国家太平兴盛。

③ 废:废弃,废置不用。

④ 刑戮:"戮(lù 路)",杀。刑戮,泛指受刑罚,受惩治。

子谓子贱①:"君子哉若人②! 鲁无君子者,斯焉取斯③?"

【今译】

孔子谈论子贱,说:"真是君子啊这个人! 假如鲁国没有君子,他从哪里取得这种品德呢?"

【注释】

① 子贱:姓宓(fú 浮),名不齐,字子贱,鲁国人。公元前 521 年生,卒年不详。孔子的弟子。子贱曾任单父(今山东省单县)宰,史称:"有才智,爱百姓,身不下堂,鸣琴而治。能尊师取友,以成其德。"著有《宓子》十六篇。

② 若:代词。此,这。

③ 斯:代词。在句中,第一个"斯",是代指子贱这个人。第二个"斯",是代指君子的品德。 焉:疑问代词。哪里,怎么,怎样。 取:取得,获得。

子贡问曰:"赐也何如①?"子曰:"女②,器也。"曰:"何器也?"曰:"瑚琏也③。"

【今译】

子贡问孔子:"我端木赐怎么样呢?"孔子说:"你,是个有用

46

的器具。"〔子贡〕问:"是个什么器具呢?"〔孔子〕说:"是瑚琏。"

【注释】

① 何如:如何,怎样。

② 女:汝,你。

③ 瑚琏:古代祭祀时盛粮食(黍稷)用的一种贵重的器具,竹制,上面用玉装饰,很华美,有方形的,有圆形的,夏代称"瑚",殷代称"琏"。在这里,孔子用"瑚琏"比喻子贡,虽是有用之材,但也不过仅有一种具体的才干,达不到最高标准的"君子不器"。

或曰①:"雍也仁而不佞②。"子曰:"焉用佞? 御人以口给③,屡憎于人。不知其仁,焉用佞?"

【今译】

有的人说:"冉雍啊,有仁德,而不能言善辩。"孔子说:"何必要能言善辩呢?〔能说会道的人〕同人家顶嘴,嘴快话多,常常引起别人的厌恶不满。我不知道冉雍是不是做到有仁德,但哪里用得上能言善辩呢?"

【注释】

① 或:代词。有的人。

② 雍:姓冉,名雍,字仲弓。鲁国人。生于公元前 522 年,卒年不详。孔子的弟子。 佞(ning 泞):强嘴利舌,巧言花语。

③ 御:抗拒,抵抗。这里指辩驳对方,与人顶嘴。 口给:"给(jǐ挤)",本义是丰足,也指言语敏捷。口给,指嘴巧,嘴快话多。孔子反对"巧言乱德"的人。

子使漆雕开仕①,对曰:"吾斯之未能信②。"子说③。

【今译】

孔子让漆雕开去做官,〔漆雕开〕回答:"我对做官还没有信心。"孔子〔听了这话〕很高兴。

①　漆雕开:姓漆雕,名开,字子开(一说,字子若)。蔡国人(一说,鲁国人)。公元前540年生,卒年不详。孔子弟子。

②　"吾斯"句:"吾未能信斯"的倒装。"斯",做官的事。"信",信心,相信,自信。这话是说自己还没有达到"学而优则仕"的程度。

③　说:同"悦"。

子曰:"道不行,乘桴浮于海①。从我者②,其由与③!"子路闻之喜。子曰:"由也好勇过我,无所取材④。"

【今译】

孔子说:"我的道得不到实行,就乘木筏漂到海上去。能跟随我的人,可能只有仲由吧!"子路听了这话很高兴。孔子却说:"仲由啊,争强好勇超过了我,〔其他方面〕没有什么可取的。"

【注释】

①　桴(fú 扶):用竹或木编成当船用的水上交通工具,大的叫"筏",小一点的叫"桴"。

②　从:跟从,跟随。

③　其:语助词,表示揣测。大概,可能。　与:同"欤"。语助词,表疑问,与"乎"同。

④　材:同"哉"。语助词。一说,同"才"。才能,本领。另说,同"裁"。裁度事理。

孟武伯问:"子路仁乎?"子曰:"不知也。"又问。子曰:"由也,千乘之国,可使治其赋也①,不知其仁也。""求也何如?"子曰:"求也,千室之邑②,百乘之家③,可使为之宰也④,不知其仁也。""赤也何如⑤?"子曰:"赤也,束带立于朝⑥,可使与宾客言也,不知其仁也。"

【今译】

孟武伯问:"子路能做到仁吗?"孔子说:"不知道。"他又问。孔子说:"仲由啊,在一个有一千辆兵车的国家里,可以让他管理赋税,掌握军政,但是我不知道他能不能做到仁。"孟武伯问:"冉求怎么样?"孔子说:"冉求啊,可以让他在一个有一千户人家的公邑,或在有一百辆兵车的采邑里,担任总管。但是我不知道他能不能做到仁。"孟武伯问:"公西赤怎么样?"孔子说:"公西赤啊,可以让他穿上礼服,系上袍带,站在朝廷大堂上,接待宾客,但是我也不知道他能不能做到仁。"

【注释】

①　治其赋:古代以田赋地税出兵役,故称兵为赋。治其赋,含有负责管理军事政治的意思。

②　邑:古代居民的聚居点,相当于后世的城镇,周围的土地也归属于邑。邑,又可分为"公邑","采邑"。"公邑",是直辖于诸侯的领地属地;"采邑",是由诸侯分封给所属的卿、大夫的领地。文中"千室之邑",指的是居有一千户人家的城邑,当指"公邑"。

③　家:指的是卿、大夫的采地食邑。家,可设"家臣",以管理政务。

④　宰:最早的意思是奴隶的总管。后来是官吏的通称。邑的行政长官也称宰(相当于县长)。

⑤　赤:姓公西,名赤,字子华,鲁国人。公元前 509 年生,卒年不详。孔子的弟子。

⑥　束带:整理衣服,扎好衣带。这里指穿上礼服去上朝。

子谓子贡曰:"女与回也①,孰愈②?"对曰:"赐也何敢望回③?回也闻一以知十,赐也闻一以知二。"子曰:"弗如也④,吾与女,弗如也⑤。"

【今译】

孔子问子贡:"你与颜回相比,谁更强一些?"子贡回答:"我怎么敢同颜回比呢? 颜回听到一件事可以推测知道十件事,我听到一件事只能推知两件事。"孔子说:"[你]是不如他,我赞同你的话,[你]是不如他。"

【注释】

① 女:汝,你。

② 孰:谁。 愈:胜过,更好,更强。

③ 望:比。

④ 弗:不。

⑤ 与:动词。赞同,同意。

宰予昼寝。子曰:"朽木不可雕也,粪土之墙不可圬也①。于予与何诛②?"子曰:"始吾于人也,听其言而信其行;今吾于人也,听其言而观其行。于予与改是③。"

【今译】

宰予白天睡大觉。孔子说:"[真像是]腐朽的木头不能再雕刻什么了,粪土的墙壁不能再粉刷了。对于宰予这个人,何必再谴责他呢?"孔子又说:"开始时,我对于人,是听了他的话便相信他的行为;现在,我对于人,是听了他的话还要观察他的行为。宰予这个人使我改变了观察人的方法。"

【注释】

① 圬(wū 污):同"杇"。本指用灰泥抹墙的工具,俗称"抹子"。这里作动词用,指粉刷墙壁。

② 与:同"欤"。语气词,在这里表停顿。 诛:谴责,责备,指责。

③ 是:代词。此,这。在这里指代观察人的方法。

子曰:"吾未见刚者。"或对曰:"申枨①。"子曰:"枨也欲②,焉得刚?"

【今译】

孔子说:"我没见过刚强不屈的人。"有人回答:"申枨[是刚

50

强的人〕。"孔子说:"申枨啊,个人欲望太多,怎么能刚强?"

【注释】

① 申枨(chéng 成):姓申,名枨,字周,鲁国人。孔子的弟子。一说,就是申党(见《史记·仲尼弟子列传》)。另作"申棠"。

② 欲:欲望多。

子贡曰:"我不欲人之加诸我也①,吾亦欲无加诸人。"子曰:"赐也,非尔所及也②。"

【今译】

子贡说:"我不愿别人〔把某事〕强加给我,我也愿意不〔把事情〕强加给别人。"孔子说:"端木赐呀,这不是你所能做到的。"

【注释】

① 诸:"之于"的合音。

② 尔:你。

子贡曰:"夫子之文章①,可得而闻也;夫子之言性与天道②,不可得而闻也。"

【今译】

子贡说:"老师关于文献方面的学问,我们可以学到领会;老师关于人性和天道的论述,我们却学不到领会不到。"

【注释】

① 文章:指礼乐法度、诗、书、史等各种古代文献中的学问。

② 性:人的自然本性。 天道:天命。这里指自然万物和人类社会的吉凶祸福的关系。

子路有闻,未之能行,唯恐有闻①。

【今译】

子路听到某一道理,在还没实行的时候,唯恐又听到另一道理。

【注释】

① 有:同"又"。

子贡问曰:"孔文子何以谓之'文'也①?"子曰:"敏而好学,不耻下问,是以谓之'文'也。"

【今译】

子贡问道:"孔文子〔的谥号〕为什么称'文'呢?"孔子说:"〔他〕聪敏,爱好学习,向下面的人请教而不以为耻,所以称他为'文'。"

【注释】

① 孔文子:卫国的执政上卿,姓孔,名圉(yǔ 雨),字仲叔。"文",是谥号。古代,帝王、贵族、大臣等死后,根据他生前的品德、事迹,所给予的表示褒贬的称号称谥号。"子",是对孔圉的尊称。孔圉死于鲁哀公十五年(公元前 480 年)。

子谓子产①:"有君子之道四焉:其行己也恭,其事上也敬,其养民也惠,其使民也义。"

【今译】

孔子说到子产:"〔他〕具有君子的四种道德:在行为方面,他自己很庄重,谦逊谨慎;他事奉君主,很恭敬顺从;他对待人民,注意给予恩惠利益;他役使人民,注意合乎义理。"

【注释】

① 子产:名侨,字子产,郑国大夫,是郑穆公的孙子,公子发之子,担任过正卿(相当于宰相)。生年不详,卒于公元前 522 年。是春秋末期杰出政治家。他在郑简公、郑定公时,执政二十二年,有过许多改革措施,因而得到人民的拥护。当时曾被孔子称为"仁人","惠人"。

子曰:"晏平仲善与人交①,久而敬之②。"

【今译】

孔子说:"晏平仲善于同别人交往,相处愈久,别人愈尊敬他。"

【注释】

① 晏平仲:姓晏,名婴,字仲。夷维(今山东省高密县)人。齐国大夫,历任灵公、庄公、景公三世,曾任宰相,是当时著名政治家。生年不详,卒于公元前 500 年。死后,谥号为"平",故称他"晏平仲"。传世有《晏子春秋》,系战国时人收集晏婴的言行编辑而成。 善:在某一方面具有特长,擅长,长于。

② 之:代词,代晏婴。一说,"之"指代朋友。此句意思是:晏婴与友处久,仍敬友如新。

子曰:"臧文仲居蔡①,山节藻棁②,何如其知也③?"

【今译】

孔子说:"臧文仲为大乌龟盖了房子,把房子的斗拱雕成山形,房梁短柱上画了水草,〔这个人〕怎么能说是明智呢?"

【注释】

① 臧文仲:鲁国的大夫,姓臧孙,名辰,字仲。生年不详,卒于公元前617年。死后谥号"文"。曾被孔子批评为"不仁""不智"。 居蔡:"蔡",春秋时的蔡国,在今河南省上蔡、新蔡一带。蔡国出产大乌龟。据《淮南子·说山训》:"大蔡神龟,出于沟壑。"这里用"蔡"代指大乌龟。"居",居处,房子。这里用作动词。古代常用乌龟壳来占卜吉凶,"居蔡"是指为大乌龟盖上房子藏起来以备占卜用。

② 山节藻棁:"节",是房柱子头上的斗拱;"山节",是把斗拱雕刻成山的形状。"藻",是水草;"棁(zhuō 桌)",是房子大梁上的短柱;"藻棁",是把短柱上画上花草图案。山节藻棁,也就是俗说的"雕梁画栋",是古代

建筑物的豪华装饰,只有天子才能把大乌龟壳藏在如此豪华的房屋里。臧文仲也这样做,显然是"越礼"行为。

③ 何如:如何,怎么。 知:同"智"。明智,懂事理。

子张问曰:"令尹子文三仕为令尹①,无喜色;三已之②,无愠色。旧令尹之政,必以告新令尹。何如?"子曰:"忠矣。"曰:"仁矣乎?"曰:"未知。焉得仁?""崔子弑齐君③,陈文子有马十乘④,弃而违之⑤,至于他邦,则曰:'犹吾大夫崔子也。'违之。之一邦,则又曰:'犹吾大夫崔子也。'违之。何如?"子曰:"清矣。"曰:"仁矣乎?"曰:"未知。焉得仁?"

【今译】

子张问孔子:"令尹子文几次担任宰相,没表现出高兴的脸色;几次被罢免,也没表现出怨恨的脸色。〔每次免职时〕一定把自己旧日的一切政令公务告诉新任的宰相。〔这个人〕怎么样呢?"孔子说:"够得上忠啊。"〔子张〕说:"够得上仁了吗?"〔孔子〕说:"不知道。这怎么能算是仁呢?"〔子张又问:〕"崔子杀了齐庄公,陈文子有四十匹马,舍弃不要,离开齐国。到了另一国,说:'〔这里的执政者〕好比我国的大夫崔子一样。'又离开了。再到另一国,又说:'〔这里的执政者〕好比我国的大夫崔子一样。'又离开了。〔那么,这个人〕怎样呢?"孔子说:"够得上清白了。"〔子张〕说:"够得上仁了吗?"〔孔子〕说:"不知道。这怎么能算是仁呢?"

【注释】

① 令尹:楚国的官职名,相当于宰相。 子文:姓鬭(dòu 豆),名穀於菟(gòu wū tú 构乌徒),字子文,是楚国著名的贤相。 三仕:"三",是虚数,不一定只指三次,而是代表多次,几次。"仕",是做官,担任职务。

② 三已:多次被免职。"已",本义是停止,完毕。这里指罢免,去

职。

③ 崔子:指齐国大夫崔杼(zhù 助)。他把齐庄公杀了。 弑(shì 式):古时称臣杀死君主或子女杀死父母。 齐君:指齐庄公。姓姜,名光。

④ 陈文子:齐国的大夫,名须无。崔杼杀死齐庄公时,陈文子离开齐国,两年后又返回。

⑤ 违:离别、离开。

季文子三思而后行①。子闻之,曰:"再②,斯可矣。"

【今译】

季文子要三次考虑以后才去做某一件事。孔子听到这事,说:"考虑两次,就可以了。"

【注释】

① 季文子:鲁国的大夫,姓季孙,名行父。"文"是他死后的谥号。生年不详,卒于公元前568年。历仕鲁文公、鲁宣公,至鲁成公、鲁襄公时担任正卿。史称他"无衣帛之妾,无食粟之马,无金玉重器,忠于公室者也"。因他世故太深,过为谨慎,遇事计较祸福利害太多,容易徇私,私意起而反惑。所以,孔子才说了这番话。孔子还曾说:"事有贵于刚决,多思转多私。"也是这个意思。

② 再:再次,第二次。作副词用,后面省略了动词"思"。

子曰:"宁武子①,邦有道,则知②;邦无道,则愚③。其知可及也,其愚不可及也。"

【今译】

孔子说:"宁武子,当国家有道的时候,他显得聪明;当国家无道的时候,他就装傻。他的那种聪明,别人是可以赶得上的;他的那种装傻,别人可就赶不上了。"

【注释】

① 宁武子:卫国人,庄公之子,文公、成公时的大夫。姓宁,名俞。"武",是他死后的谥号。

② 知:同"智"。

③ 愚:本义是愚笨。这里指装傻。

子在陈曰①:"归与②! 归与! 吾党之小子狂简③,斐然成章④,不知所以裁之⑤。"

【今译】

孔子在陈国时,说:"回去吧! 回去吧! 我们家乡的学生们,志向远大,心气挺高,而行为粗率简单,文采都有可观的成就,我不知道该怎样去节制、指导他们。"

【注释】

① 陈:春秋时的古国,妫(guī 规)姓。商殷灭亡后,周武王找到了舜的后代妫满,封他于陈。其地约在今河南省东部(开封市以东)、安徽省北部(亳县以北)一带,故都在宛丘(今河南省淮阳县)。春秋末年,陈国被楚国所灭。

② 与:同"欤"。语气助词。

③ 吾党:我的故乡(鲁国)。古代五百家为一党。 狂简:"狂",指心气很高,志向远大;"简",指行为粗率,简单化,做法不高明。

④ 斐然:"斐(fěi 匪)",本义指五色错杂。形容有文采的样子。章:花纹,文采。引申为文学,文章。

⑤ 裁:节制,控制。这里有"指导"的意思。此句,《史记·孔子世家》为"吾不知所以裁之"。由此推断,文中省略的主语应是"吾"。

子曰:"伯夷、叔齐不念旧恶①,怨是用希②。"

【今译】

孔子说:"伯夷、叔齐,不记过去的仇怨,〔人们对他〕怨恨因此就少了。"

① 伯夷、叔齐:是殷朝末年一个小国的国君孤竹君的两个儿子,姓墨胎。兄伯夷(一说,名允,字公信,"夷"是谥号),弟叔齐(一说,名智,字公达,"齐"是谥号)。孤竹君死后,伯夷、叔齐兄弟二人互相让位,谁都不肯做国君。后来,二人都逃到周文王所管辖的区域。周武王兴兵伐纣时,他们曾拦车马进行劝阻。周灭殷后,传说他们二人对改朝换代不满而耻食周粟,隐居在首阳山,采薇(一种野菜)为食,终于饿死。

② 是用:因此。 希:同"稀"。少。

子曰:"孰谓微生高直①? 或乞醯焉②,乞诸其邻而与之。"

【今译】

孔子说:"谁说微生高这个人直爽呀? 有人向他要点醋,他〔没直说没有,却是〕到他的邻居家去要了点醋,给了那人。"

【注释】

① 微生高:姓微生,名高。《庄子》、《战国策》中又称"尾生高"。鲁国人。以直爽、守信而著称。传说他与一女子相约在桥下见面。女子没按时来,尾生高守信不移,一直在约会处等候。后来,河水暴涨,尾生高抱住桥柱子死守,终被淹死。后世戏曲以此情节编为"兰桥会"。

② 醯(xī 西):醋。

子曰:"巧言,令色,足恭,左丘明耻之①,丘亦耻之。匿怨而友其人②,左丘明耻之,丘亦耻之。"

【今译】

孔子说:"花言巧语,假装出一副好看的脸色,表现出过分的恭敬,对这种人,左丘明以为可耻,我孔丘也以为可耻。把怨恨隐藏在心里,表面上却假装出一副与人友善要好的样子,对这种人,左丘明以为可耻,我孔丘也以为可耻。"

【注释】

① 左丘明:春秋时鲁国人,担任过鲁国的太史(朝廷史官),乃楚左史倚相之后,与孔子同时或较早于孔子。相传左丘明曾为《春秋》作传(称为《左传》),又作《国语》(也有学者认为,《左传》和《国语》的作者并非一人,二书也并非左丘明所作)。又传说,左丘明是个瞎子,故有"左丘失明"之说。

② 匿:隐藏起来,不让人知道。

颜渊、季路侍①。子曰:"盍各言尔志②?"子路曰:"愿车马衣裘③,与朋友共,敝之而无憾。"颜渊曰:"愿无伐善④,无施劳⑤。"子路曰:"愿闻子之志。"子曰:"老者安之,朋友信之,少者怀之。"

【今译】

颜渊、子路在孔子身边侍立。孔子说:"何不各自说说你们自己的志向?"子路说:"愿意有车马乘坐,穿又轻又暖的皮衣,而且拿出来与朋友共同使用,就是用坏了穿破旧了,也不抱怨。"颜渊说:"我愿意不夸耀自己的长处,不表白自己的功劳。"子路〔转问〕说:"愿意听听老师您的志向。"孔子说:"使年老的人们得到安康舒适,使朋友们互相得到信任,使年轻的孩子们得到关怀养护。"

【注释】

① 季路:即子路。因侍于季氏,又称季路。 侍:服侍,陪从在尊长身边站着。《论语》中,单用"侍"字,指孔子坐着,弟子站着。用"侍坐",指孔子坐着,弟子也坐着。用"侍侧",指弟子陪从孔子,或立或坐。

② 盍(hé 何):何不。

③ 裘(qiú 求):皮衣。

④ 伐:夸耀,自夸。

⑤ 施:表白。一说,"施",是施加给别人。句中"无施劳",是不把劳苦的事加在别人身上,即自己不辞劳苦,对劳累的事不推脱。

子曰:"已矣乎①! 吾未见能见其过而内自讼者也②。"

【今译】

孔子说:"罢了啊! 我还没见过看到自身的错误而能发自内心自我责备的人。"

【注释】

① 已:罢了,算了。下面的"矣""乎",都是表示绝望的感叹助词。

② 讼(sòng 宋):责备,争辩是非。

子曰:"十室之邑①,必有忠信如丘者焉,不如丘之好学也。"

【今译】

孔子说:"就是十户人家的小村邑里,也一定有如同我这样讲究忠信的人,〔只是〕不如我这样爱好学习啊。"

【注释】

① 十室:十户人家。古时,九夫为井,四井为邑,一邑共有三十二户人家。"十室之邑"极言其小,是指尚且不满三十二家的小村邑。

雍也篇第六

（共三十章）

主要讲孔子与弟子们的言行。

子曰："雍也,可使南面①。"

【今译】

孔子说："冉雍啊,可以让他坐尊位做卿大夫。"

【注释】

① 南面:就是脸朝南。古代以坐北朝南为尊位、正位。从君王、诸侯、将、相到地方军政长官,坐堂听政,都是面南而坐。

仲弓问子桑伯子①。子曰："可也,简②。"仲弓曰："居敬而行简③,以临其民④,不亦可乎? 居简而行简,无乃大简乎⑤?"子曰:"雍之言然。"

【今译】

仲弓问子桑伯子这个人怎么样。孔子说："还可以,办事简要。"仲弓说："为人严肃认真,严格要求自己,又办事简要,用这样的方法去对待人民,不也是可以的吗? 〔但是〕为人随便,办事又简易粗率,〔如果那样〕岂不是太简单化了吗?"孔子说:"冉雍,你的话是对的。"

【注释】

① 仲弓:就是冉雍。 子桑伯子:人名。其身世情况不详。有的学

者认为,子桑伯子是鲁国人,即《庄子》中所说的"子桑户",与"琴张"为友。又有人以为是秦穆公时的"子桑"(公孙枝)。但皆无确考。

② 简:简单,简约,不烦琐。

③ 居:平时的做人,为人,居心。

④ 临:面对,面临。这里含有治理的意思。

⑤ 无乃:岂不是,难道不是。 大:同"太"。

哀公问:"弟子孰为好学?"孔子对曰:"有颜回者好学,不迁怒①,不贰过②。不幸短命死矣。今也则亡③,未闻好学者也。"

【今译】

鲁哀公问:"[你的]学生中谁是爱好学习的呢?"孔子回答:"有一个叫颜回的,很好学,[他从来]不拿别人出气,不犯同样的过错。[但]不幸短命死了。现在就没有那样的人了,没听到有好学的人啊。"

【注释】

① 迁怒:指自己不如意时,对别人发火生气;或受了甲的气,却转移目标,拿乙去出气。"迁",转移。

② 贰:二,再一次,重复。

③ 亡:同"无"。

子华使于齐①,冉子为其母请粟②。子曰:"与之釜③。"请益④。曰:"与之庾⑤。"冉子与之粟五秉⑥。子曰:"赤之适齐也⑦,乘肥马,衣轻裘⑧。吾闻之也,君子周急不继富⑨。"

【今译】

子华出使去齐国,冉求为子华的母亲请求给些小米。孔子说:"给他六斗四升。"冉求请求再增加些。孔子说:"再给他二斗四升。"冉求却给了他小米八十石。孔子说:"公西赤到齐国去,乘坐肥马驾的车,身穿又轻又暖的皮衣。我听说过,君子应周济

61

急需的人,而不要使富人更富。"

【注释】

① 子华:即公西赤。

② 冉子:即冉求。"子"是后世记录孔子和他的弟子的言行时加上的尊称。 粟:谷子,小米。

③ 釜(fǔ府):古代容量名。一釜当时合六斗四升。古代的斗小,一斗约合现在二升,一釜约等于现在一斗二升八合。一釜粮食仅是一个人一月的口粮。

④ 益:增添,增加。

⑤ 庾(yǔ 雨):古代容量名。一庾合当时二斗四升,约合现在四升八合。一说,一庾当时合十六斗,约合现在三斗二升。

⑥ 秉(bǐng 饼):古代容量名。一秉合十六斛,一斛合十斗。"五秉",就是八百斗(八十石)。约合现在十六石。

⑦ 适:往,去。

⑧ 衣(yì 义):穿。

⑨ 周:周济,救济。 继:接济,增益。

原思为之宰①,与之粟九百②,辞。子曰:"毋③!以与尔邻里乡党乎④!"

【今译】

原思为孔子家做总管,[孔子]给他小米九百斗,[原思]推辞不要。孔子说:"不要推辞!拿给你家乡的人们吧!"

【注释】

① 原思:孔子的弟子。姓原,名宪,字子思。鲁国人(一说,宋国人)。生于公元前 515 年,卒年不详。孔子在鲁国任司寇(司法官员)时,原思在孔子家做过总管(家臣)。孔子死后,原思退隐,居卫国。 之:指代孔子。

② 之:代指原思。 九百:九百斗。一说,指九百斛,则是九百石。

不可确考。

③ 毋：不要，勿。

④ 邻里乡党：古代以五家为邻，二十五家为里，五百家为党，一万二千五百家为乡。这里泛指原思家乡的人们。

子谓仲弓，曰："犁牛之子骍且角①，虽欲勿用，山川其舍诸②？"

【今译】

孔子谈论仲弓，说："耕牛生的一个小牛犊，长着整齐的红毛和周正的硬角，虽然不想用它〔作为牺牲祭品〕，山川之神怎么会舍弃它呢？"

【注释】

① "犁牛"句："犁牛"，杂色的耕牛。"子"，指小牛犊。"骍"，赤色牛。周代崇尚赤色，祭祀用的牛，要求是长着红毛和端正的长角的牛，不能用普通的耕牛来代替。这里用"犁牛之子"，比喻冉雍（仲弓）。据说冉雍的父亲是失去贵族身份的"贱人"，品行也不好。孔子认为，冉雍德行才学都好，子能改父之过，变恶以为美，是可以做大官的（当时冉雍担任季氏的家臣）。

② 山川：指山川之神。这里比喻君主或贵族统治者。　其：表示反问的语助词。怎么会，难道，哪能。　舍：舍弃，不用。

子曰："回也，其心三月不违仁①，其馀则日月至焉而已矣②。"

【今译】

孔子说："颜回啊，他的心可以在长时间内不违背仁德，其馀的〔弟子们〕只能在短时间内做到仁德而已。"

【注释】

① 三月：不是具体指三个月，而是泛指较长的时间。

63

② 日月:一天,一月。泛指较短的时间,偶尔。 至:达到,做到。

季康子问①:"仲由可使从政也与?"子曰:"由也果,于从政乎何有②?"曰:"赐也可使从政也与?"曰:"赐也达,于从政乎何有?"曰:"求也可使从政也与?"曰:"求也艺,于从政乎何有?"

【今译】

季康子问:"仲由,可以让他做官从政吗?"孔子说:"仲由果断勇敢,对于从政有什么困难呢?"〔季康子〕说:"端木赐,可以让他做官从政吗?"〔孔子〕说:"端木赐通达事理,对于从政有什么困难呢?"〔季康子〕说:"冉求,可以让他做官从政吗?"〔孔子〕说:"冉求,多有才能,对于从政有什么困难呢?"

【注释】

① 季康子:季桓子之子,公元前492年继其父任鲁国正卿。孔子的弟子冉求,曾帮助季康子推行革新。

② 何有:有何困难。

季氏使闵子骞为费宰①。闵子骞曰:"善为我辞焉! 如有复我者,则吾必在汶上矣②。"

【今译】

季氏派人去请闵子骞担任费邑的行政长官。闵子骞〔对来的人〕说:"请好好地为我辞掉吧! 如果第二次再来找我,那我必定是在汶河以北了。"

【注释】

① 闵子骞(qiān 千):姓闵,名损,字子骞。鲁国人。公元前536年生,公元前487年卒(一说,公元前515—?)。孔子早年的弟子。相传是有名的孝子,受到孔子的赞赏。其德行与颜渊并称于世。 费:此读 bì,音毕,是季氏的封邑,在今山东省费县西北(故城在平邑县东南七十里)。因为季氏不归顺鲁国,他的封邑的总管(邑宰,相当于一个县长)经常同他作

对,所以,他想请闵子骞去做费宰。

② 在汶上:"汶(wèn 问)",今山东省的大汶河。当时汶水在齐国的南面,鲁国的北面,流经齐鲁之间。在汶上,就是在汶水之上(汶水以北),暗指要由鲁国去齐国,不愿为季氏做事。宋代朱熹在《四书集注》中议论闵子骞:处乱世,遇恶人当政,"刚则必取祸,柔则必取辱",走到他处以保存自己,这种做法是可取的。

伯牛有疾①,子问之,自牖执其手②,曰:"亡之,命矣夫③!斯人也而有斯疾也,斯人也而有斯疾也!"

【今译】

伯牛有病,孔子去探望,从窗户外面握着伯牛的手,说:"要永别了,是命运吧! 这样〔好〕的人竟有了这样的病啊! 这样〔好〕的人竟有了这样的病啊!"

【注释】

① 伯牛:孔子的弟子。姓冉,名耕,字伯牛。鲁国人。孔子任鲁国司寇时,冉伯牛曾任中都宰,有德行。传说他患的是"癞病"(即麻疯病),当时为不治之症。

② 牖(yǒu 友):窗户。

③ 夫(fú 扶):语气助词。表示感叹,相当于"吧","啊"。

子曰:"贤哉,回也! 一箪食①,一瓢饮,在陋巷,人不堪其忧,回也不改其乐。贤哉,回也!"

【今译】

孔子说:"品德好呀,颜回啊! 一竹筒子饭,一瓢水,住在简陋狭小的巷子里,一般人都忍受不了这种困苦忧愁,颜回却不改变他〔爱学乐善〕的快乐。品德好呀,颜回啊!"

【注释】

① 箪(dān 丹):古时盛饭食用的一种圆形竹器。 食(sì 四):饭。

冉求曰："非不说子之道①,力不足也。"子曰："力不足者,中道而废,今女画②。"

【今译】

冉求〔对孔子〕说："我并非不喜欢您的道理,而是我的力量不够。"孔子说："力量不够的话,是走到中途〔力量用尽不得已〕才废弃而停止,但现在你是给自己画了一条截止的界线。"

【注释】

① 说:同"悦"。喜欢,爱慕。

② 女:同"汝"。你。 画:画线为界。画地以自限,则止而不进。

子谓子夏曰："女为君子儒①,无为小人儒。"

【今译】

孔子对子夏说："你要做君子式的儒者,不要做小人式的儒者。"

【注释】

① 女:你。 君子儒:"儒"古时本指为人们主持办理喜事丧事礼节仪式的一种专门职业,即赞礼者(也称"相")。"君子儒",指通晓周礼典章制度,道德品质、人格高尚的儒者;反之,就是"小人儒"。

子游为武城宰①。子曰："女得人焉耳乎②?"曰："有澹台灭明者③,行不由径④,非公事,未尝至于偃之室也⑤。"

【今译】

子游任武城县官。孔子说："在你管的地区你得到什么人才了吗?"〔子游〕说："有个名叫澹台灭明的人,走路从来不抄小道,不是为公事,从不到我的居室来。"

【注释】

① 武城:鲁国的城邑。即今山东省嘉祥县。一说,武城在山东省费县西南。

② 焉耳:犹言"于此"。"耳",同"尔"。

③ 澹(tán 谈)台灭明:姓澹台,名灭明,字子羽。武城人。为人公正。后来成为孔子的弟子。传说澹台灭明状貌甚丑,孔子曾以为他才薄。而后,澹台灭明受业修行,名闻于世。孔子叹说:"吾以貌取人,失之子羽。"

④ 径:小路,捷径。引申为正路之外的邪路。

⑤ 偃:即子游。姓言名偃,字子游。这里是子游自称。

子曰:"孟之反不伐①。奔而殿②,将入门,策其马③,曰:'非敢后也,马不进也。'"

【今译】

孔子说:"孟之反不夸耀自己。败退时,他留在最后面,将要进城门时,他鞭打了一下自己的马,说:'不是我勇敢要殿后,是马〔跑不快〕不往前进啊。'"

【注释】

① 孟之反:姓孟,名侧,字之反(《左传》作"孟之侧",《庄子》作"孟子反")。鲁国的大夫。、 伐:夸耀功劳。

② 奔:败走。 殿:殿后,即行军走在最后。鲁哀公十一年(公元前484年),齐国进攻鲁国,鲁迎战,季氏宰冉求所率领的右翼军队战败。撤退时,众军争先奔走,而孟之反却在最后作掩护。故孔子称赞孟之反:人有功不难,不夸功为难。

③ 策:鞭打。

子曰:"不有祝鮀之佞①,而有宋朝之美②,难乎免于今之世矣。"

【今译】

孔子说："如果没有祝鮀的能言善辩,没有宋朝的美貌,是难以在当今之世免遭灾祸的。"

【注释】

① 祝鮀(tuó驼):姓祝,名鮀,字子鱼。卫国的大夫。因他擅长外交辞令,能言善辩,而又会阿谀逢迎,受到卫灵公的重用。

② 而:同"与"。和,二者兼有。 宋朝:宋国的公子朝,貌美闻名于世。《左传·昭公二十年》及《定公十四年》记述公子朝与襄夫人宣姜私通,并参与发动祸乱,出奔到卫国。又以貌美,与卫灵公夫人南子私通,而受到宠幸。

子曰:"谁能出不由户①? 何莫由斯道也②?"

【今译】

孔子说:"谁能外出而不经过屋门呢? 为何没有人由[我指出的]这条道走呢?"

【注释】

① 户:门。

② 何莫:为什么没有。 斯道:这条路。指孔子所主张的仁义之道。

子曰:"质胜文则野①,文胜质则史②。文质彬彬③,然后君子。"

【今译】

孔子说:"[内在的]质朴胜过[外在的]文采,就未免粗野;[外在的]文采胜过[内在的]质朴,就未免浮夸虚伪。只有把文采与质朴配合恰当,然后才能成为君子。"

【注释】

① 质:质地,质朴、朴实的内容,内在的思想感情。孔子认为,仁义是质。 文:文采,华丽的装饰,外在的礼仪。孔子认为,礼乐是文。

② 史:本义是宗庙里掌礼仪的祝官,官府里掌文书的史官。这里指像"史"那样,言词华丽,虚浮铺陈,心里并无诚意。含有浮夸虚伪的贬义。

③ 彬彬:文质兼备相称;文与质互相融和,配合恰当。

子曰:"人之生也直①,罔之生也幸而免②。"

【今译】

孔子说:"一个人能生存,是由于正直;不正直的人也能生存,不过是由于侥幸而避免了祸患。"

【注释】

① 直:正直,无私曲。

② 罔(wǎng 往):诬罔,虚妄。指不正直的人。

子曰:"知之者不如好之者①,好之者不如乐之者。"

【今译】

孔子说:"〔对任何事业,〕知道它的人,不如爱好它的人;爱好它的人,不如以实行它为快乐的人。"

【注释】

① 好(hào 号):喜爱。

子曰:"中人以上,可以语上也①;中人以下,不可以语上也。"

【今译】

孔子说:"对有中等水平以上才智的人,可以讲高深的知识学问;对中等水平以下才智的人,不可以讲那些高深的知识学问。"

【注释】

① 语:告,讲,说。

樊迟问知①,子曰:"务民之义②,敬鬼神而远之,可谓知矣。"问仁,曰:"仁者先难而后获,可谓仁矣。"

【今译】

樊迟问,怎样才是"智",孔子说:"专心致力于〔倡导〕人民应该遵从的仁义道德,尊敬鬼神,但要远离它〔不可沉迷于靠鬼神求福〕,就可以说是'智'了。"〔樊迟又〕问怎样才是"仁",〔孔子〕说:"有仁德的人,首先付出艰苦的努力,获得的结果放在后边全不计较,便可以说是'仁'啊。"

【注释】

① 知:同"智"。聪明,智慧。

② 务:从事于,致力于,一心一意去专力倡导。

子曰:"知者乐水①,仁者乐山②。知者动,仁者静。知者乐,仁者寿。"

【今译】

孔子说:"聪明智慧的人爱水,有仁德的人爱山。聪明智慧的人活跃,有仁德的人沉静。聪明智慧的人常乐,有仁德的人长寿。"

【注释】

① 知者乐水:水流动而不板滞,随岸赋形,与智者相似,故曰。

② 仁者乐山:山形巍然,屹立而不动摇,与仁者相似,故曰。

子曰:"齐一变,至于鲁;鲁一变,至于道①。"

【今译】

孔子说:"把齐国改变一下,便达到像鲁国这样;把鲁国改变一下,就能达到先王之道了。"

【注释】

①　"齐一变"句："变"，进行政治改革，推行教化。当时，齐强鲁弱，但是齐国施行霸道，急功近利，孔子认为齐离王道甚远。而鲁国重礼教、崇信义，周公的法治犹存，仁厚而近于王道。孔子曾说："周礼尽在鲁矣。"所以孔子有此说。

子曰："觚不觚，觚哉？觚哉①？"

【今译】

孔子说："说是觚又不像觚，这是觚吗？这是觚吗？"

【注释】

①　"觚不觚"句："觚(gū 姑)"，古代木制酒具，容量为古制二升(一说三升)，量不大，以戒人贪酒。原先觚是上圆下方，腹部足部都有四条棱角。后来，可能是为了制造和使用上的方便，改成了圆筒形，也没有那四条棱角了。孔子言"觚不觚"，实是对事物有所改变、有名无实、名实不符的感叹，含有对当时"君不君，臣不臣，父不父，子不子"等社会现象的不满。

宰我问曰："仁者，虽告之曰：'井有仁焉①。'其从之也？"子曰："何为其然也？君子可逝也②，不可陷也；可欺也，不可罔也③。"

【今译】

宰我问道："对于有仁德的人，虽然告诉他：'有一位仁人掉到井里啦！'他会跟着跳下去吗？"孔子说："为什么要他那样做呢？君子可以去〔井边看一看，设法救人〕，不可以〔也跟着〕陷下去；〔君子〕可能被欺骗，却不可能被愚弄。"

【注释】

①　井有仁：井里掉进一个有仁德的人。一说，"仁"同"人"。

②　逝：往，去。

③　罔：诬罔，被无理陷害，愚弄。

子曰:"君子博学于文,约之以礼,亦可以弗畔矣夫①!"

【今译】

孔子说:"君子广泛地多学文化典籍,用礼来约束自己,就可以不违背〔君子之道〕了吧!"

【注释】

① 畔:同"叛"。背离,背叛。 夫(fú 扶):语气助词。吧。

子见南子①,子路不说②。夫子矢之曰③:"予所否者④,天厌之! 天厌之!"

【今译】

孔子会见了南子,子路不高兴。孔子发誓说:"假如我做了什么不正当的事,〔那么,〕上天会厌弃我! 上天会厌弃我!"

【注释】

① 南子:宋国的美女,卫灵公的夫人,行为淫乱,名声不好。当时,卫灵公年老昏庸,南子实际上操纵、左右着卫国的政权。她派人召见孔子,孔子起初辞谢不见,但因依礼当见,不得已才去见了南子。

② 说:同"悦"。

③ 矢:通"誓"。

④ 予所否者:"予",我。"所……者",相当于"假如……的话",古代用于誓言中。"否",不是,不对。指做了什么不正当的事情。

子曰:"中庸之为德也①,甚至矣乎! 民鲜久矣。"

【今译】

孔子说:"中庸作为一种道德,是最高尚了! 人民缺少这种道德已经很久了。"

【注释】

① 中庸:"中",是折中,调和,无过无不及,不偏不倚;"庸",是平常,

普通,循常规常理(顺其自然)而不变。

　　子贡曰:"如有博施于民而能济众,何如? 可谓仁乎?"子曰:
"何事于仁,必也圣乎! 尧、舜其犹病诸①。夫仁者,己欲立而立
人,己欲达而达人。能近取譬②,可谓仁之方也已。"

【今译】

　　子贡说:"如果有人广泛地给人民许多好处,又能周济众人,
怎么样呢? 可以说是仁人吗?"孔子说:"何止是仁人,那必定是
圣人了! 尧、舜尚且对做不到这样而感到为难呢。作为仁人,自
己想要立身,就要帮助别人立身;自己想要通达,也要帮助别人
通达。凡事都能从切近的生活中将心比心,推己及人,可以说是
实行仁的方法啊。"

【注释】

　　① 尧、舜:传说是上古两位贤明的君主,也是孔子心目中圣德典范。
病:忧虑,犯难,心有所不足。

　　② 能近取譬:"近",指切近的生活,自身。"譬",比喻,比方。能够
就自身打比方,推己及人。

述而篇第七

主要讲孔子谦己诲人之辞及容貌行事之实。

子曰:"述而不作①,信而好古,窃比于我老彭②。"

【今译】

孔子说:"只传述〔旧的文化典籍〕而不创作〔新的〕,相信而且喜爱古代的〔文化〕,我把自己比作老彭。"

【注释】

① 述:传述,阐述。 作:创造,创作。

② 窃:私下,私自。第一人称的谦称。 我老彭:"老彭",指彭祖,传说姓篯(jiān 坚),名铿,是颛顼(五帝之一)之孙陆终氏的后裔,封于彭城(今徐州),仕虞、夏、商三代,至殷王时已七百六十七岁(一说长寿达八百岁)。彭祖是有名的贤大夫,自少爱恬静养生,观览古书,好述古事(见《神仙传》、《列仙传》、《庄子》)。"老彭"前加"我",是表示了孔子对"老彭"的尊敬与亲切,如同说"我的老彭"。一说,"老彭"指老子和彭祖两个人。

子曰:"默而识之①,学而不厌②,诲人不倦③,何有于我哉④?"

【今译】

孔子说:"默默地记住〔所见所闻所学的知识〕,学习永不满足,耐心地教导别人而不倦怠,〔这三方面〕我做到了哪些呢?"

【注释】

① 识(zhì 志)：牢记，记住。潜心思考，加以辨别，存之于心。

② 厌：通"餍"。本义是饱食。引申为满足，厌烦。

③ 诲(huì 会)：教诲，教导，诱导。

④ "何有"句：即"于我何有哉"。这是孔子严格要求自己的谦虚之词，意思说：以上那几方面，我做到了哪些(一说，还有什么困难或遗憾)呢？

子曰："德之不修，学之不讲，闻义不能徙①，不善不能改②，是吾忧也。"

【今译】

孔子说："品德不去修养，学问不去讲习，听到了义却不能去做，对缺点错误不能改正，这些都是我所忧虑的。"

【注释】

① 义：这里指正义的、合乎道义义理的事。 徙(xǐ 喜)：本义是迁移。这里指徙而从之，使自己的所做所为靠近义，做到实践义，走向义。

② 不善：不好。指缺点，错误。

子之燕居①，申申如也②，夭夭如也③。

【今译】

孔子在家闲居，衣冠整齐，容貌舒展安详，脸色显出和悦轻松的样子。

【注释】

① 燕居："燕"，通"宴"。安逸，闲适。燕居，指独自闲暇无事的时候的安居、家居。

② 申申：衣冠整齐，容貌舒展安详的样子。 如也：像是……的样子。

③ 夭夭(yāo 腰)：脸色和悦愉快，斯文自在，轻松舒畅的样子。

子曰:"甚矣吾衰也,久矣吾不复梦见周公①。"

【今译】

孔子说:"我很衰老了啊,好久好久啊我没再梦见周公了。"

【注释】

① 周公:姓姬,名旦。是周文王(姬昌)的儿子,周武王(姬发)的弟弟,周成王(姬诵)的叔叔,也是鲁国国君的始祖。传说周公是西周政治礼乐典章制度的制定者,他辅佐周成王,安天下,有德政,是孔子所崇尚的先圣先贤之一。孔子从年轻时就欲行周公之道,但壮志至老未酬。这里表现了孔子对心有馀而力不足,政治抱负已无可能实现的概叹。

子曰:"志于道,据于德,依于仁,游于艺①。"

【今译】

孔子说:"以道为志向,以德为根据,以仁为凭借,以六艺为活动范围。"

【注释】

① 游:这里有玩习,熟悉的意思。 艺:六艺。指礼(礼节),乐(音乐),射(射箭),御(驾车),书(写字),数(算术)。孔子用这六个方面的知识技艺来培养教授学生。

子曰:"自行束脩以上①,吾未尝无诲焉②。"

【今译】

孔子说:"〔只要〕愿意亲自来送十条干肉〔作为薄礼〕的人,我从来没有不教诲的。"

【注释】

① 行:实行,做到。 束脩:"脩(xiū 休)",干肉。束脩,是捆在一起的一束干肉。每束十条。古代人们常用来作为见面的薄礼。

② 未尝:未曾,从来没有。

子曰:"不愤不启①,不悱不发②,举一隅不以三隅反③,则不复也。"

【今译】

孔子说:"〔教学生〕不到他苦思冥想而仍领会不了的时候,不去开导他;不到他想说而又说不出来的时候,不去启发他。告诉他〔方形的〕一个角,他不能由此推知另外三个角,就不要再重复去教他了。"

【注释】

① 愤:思考问题有疑难之处,苦思冥想,而仍然没想通,仍然领会不了的样子。

② 悱(fěi 匪):想说而不能明确地表达,说不出来的样子。

③ 隅(yú 鱼):角落,角。这里比喻从已知的一点,去进行推论,由此及彼,触类旁通。这句就是成语"举一反三"和"启发"一词的由来。

子食于有丧者之侧①,未尝饱也。

【今译】

孔子在有丧事的人旁边吃饭,未曾吃饱过。

【注释】

① 有丧者:有丧事的人。指刚刚死去亲属的人家。孔子在有丧事的人面前,因同情失去亲人的人,食欲不振,吃饭无味,故云"未尝饱也"。

子于是日哭①,则不歌。

【今译】

孔子在那一天吊丧哭泣过,就不再唱歌了。

【注释】

① 哭:指给别人吊丧时哭泣。一日之内,由于心里悲痛,馀哀未忘,就不会再唱歌了。

子谓颜渊曰:"用之则行,舍之则藏①,惟我与尔有是夫!"子路曰:"子行三军②,则谁与③?"子曰:"暴虎冯河④,死而无悔者,吾不与也。必也临事而惧,好谋而成者也。"

【今译】

孔子对颜渊说:"用我,我就去干;不用我,就隐藏起来。只有我和你能够做到这样吧!"子路〔在一旁插言〕说:〔老师〕您如果统帅三军〔去作战〕,那么,您要和谁在一起呢?"孔子说:"赤手空拳要和老虎搏斗,没有船要趟水过大河,〔这样做〕死了都不知后悔的人,我不和他在一起。〔我要共事的人〕必须是遇事小心谨慎,严肃认真,善于筹划谋略而能争取成功的人。"

【注释】

① 舍:不用,舍弃。

② 行:视,居……之位。这里犹言指挥,统帅。 三军:当时一个大国的所有军队。每军一万二千五百人,三军相当于三万七千五百人。

③ 与:在一起,共事。

④ 暴虎冯河:"暴",徒手搏击。句中指赤手空拳与老虎搏斗。"冯(píng 平)",涉水。句中指无船而徒步趟水过大河。暴虎冯河,是用来比喻那种有勇无谋,冒险行事,而往往导致失败的人。

子曰:"富而可求也,虽执鞭之士①,吾亦为之。如不可求,从吾所好②。"

【今译】

孔子说:"财富如果是可以求得的,就是去当一名手拿皮鞭的下等差役,我也去做。如果不可以求得,我还是做我所爱好做的事。"

【注释】

①　执鞭之士:指手里拿着皮鞭的下等差役。当时主要指两种人,一种是市场的守门人,执鞭以维持秩序;一种是为贵族外出时夹道执鞭开路、让行人让道的差役。

②　从:顺从,听从。

子之所慎:齐①,战②,疾③。

【今译】

孔子小心谨慎对待的事情是:〔祭祀之前的〕斋戒,战争,疾病。

【注释】

①　齐:同"斋"。指古代在祭祀之前虔诚的斋戒。要求不喝酒,不吃荤,不与妻妾同房,沐浴净身,等等,以达到身心的全面整洁。

②　战:战争。因关系国家民族的安危存亡和人民群众的死与伤。

③　疾:疾病。因关系个人的健康与生死。

子在齐,闻《韶》①,三月不知肉味②,曰:"不图为乐之至于斯也。"

【今译】

孔子在齐国,听到了〔演奏〕《韶》乐,三个月吃肉都吃不出什么滋味,说:"真料想不到〔虞舜时创作的〕音乐竟然达到这么迷人的地步。"

【注释】

①　韶:传说是虞舜时创作的乐曲,水平很高,音乐境界很优美。参见前《八佾篇第三》第二十五章注。

②　三月:比喻很长时间,不是实指三个月。

冉有曰:"夫子为卫君乎①?"子贡曰:"诺②,吾将问之。"入,曰:"伯夷、叔齐何人也?"曰:"古之贤人也。"曰:"怨乎?"曰:"求仁而得仁,又何怨?"出,曰:"夫子不为也。"

【今译】

冉有〔问子贡〕说:"老师会赞成卫国的国君吗?"子贡说:"嗯,我要去问问他。"〔于是,子贡〕进屋去,问〔孔子〕:"伯夷、叔齐是什么样的人呢?"〔孔子〕说:"是古代的贤人。"〔子贡〕问:"〔伯夷、叔齐〕有怨恨吗?"〔孔子〕说:"〔他们〕求仁德而得到了仁德,还有什么怨恨呢?"〔子贡〕走出屋来〔对冉有〕说:"老师不赞成〔卫国国君〕。"

【注释】

① 为:赞成,帮助。 卫君:指卫灵公的孙子卫出公,姓蒯(kuǎi 快上声),名辄(zhé 哲)。公元前492年至公元前481年在位。他的父亲蒯聩,本是灵公所立的世子,但因其谋杀卫灵公的夫人南子未成,被灵公驱逐,逃到了晋国。卫灵公死后,蒯辄被立为国君。这时,晋国的赵简子率军又把蒯聩送回卫国,形成父亲同儿子争夺王位的局面。后来蒯聩以武力进攻其子蒯辄,蒯辄出奔。蒯聩得王位,为卫庄公。公元前478年,晋攻卫,蒯聩奔戎州,被戎州人所杀。蒯辄奔宋之后,卒于越。蒯聩、蒯辄父子争位的事,与古代伯夷、叔齐两兄弟互相让位的事,形成了鲜明的对比。本章这段对话,表明孔子赞扬伯夷、叔齐的"礼让为国",而对蒯聩、蒯辄非常不满。

② 诺:应答声。

子曰:"饭疏食①,饮水,曲肱而枕之②,乐亦在其中矣。不义而富且贵,于我如浮云。"

【今译】

孔子说:"吃粗粮,喝冷水,弯起胳膊垫着当枕头,乐趣就在其中了。用不义的手段得到富与贵,对于我,〔那些富贵〕如同〔天上的〕浮云。"

【注释】

① 饭:作动词用。吃。 疏食:指粗粮,粗糙的饭食。

② 肱(gōng 工):由肩到胳膊肘这一部位,一般也泛指胳膊。

子曰:"加我数年①,五十以学《易》②,可以无大过矣。"

【今译】

孔子说:"再给我增添几年寿命,到了五十岁学习《易经》,可以不犯大的错误了。"

【注释】

① 加:增添,增加。

② 五十:五十岁。古人以为五十岁是老年的开始。一说,"五十"是"卒"字之误,在这里用的意思,指学完《易经》。 易:又名《周易》,《易经》,古代一本用以占卜、预测吉凶祸福的书。有宗教迷信色彩,但也保存了古代若干朴素辩证法的哲学观点。

子所雅言①,《诗》、《书》、执礼,皆雅言也。

【今译】

孔子〔有时〕讲官话,读《诗经》,念《尚书》,赞礼时,都是用官话。

【注释】

① 雅言:西周的政治中心在今陕西地区,当时称以陕西语音为标准音的"官话",为"雅言"。平时讲话,孔子用的是鲁国的地方方言,但在诵《诗》《书》和赞礼(主持仪礼,当司仪)时,则用"雅言"。

叶公问孔子于子路①,子路不对②。子曰:"女奚不曰③:其为人也,发愤忘食,乐以忘忧,不知老之将至云尔④。"

【今译】

叶公向子路问到孔子,子路没回答。孔子说:"你为什么不说:他的为人啊,发愤时,竟忘记吃饭;快乐时,便忘记忧愁;简直连衰老就会到来也不知道,如此而已。"

【注释】

① 叶(shè 社)公:姓沈,名诸梁,字子高,楚国的大夫。他的封邑在叶城(今河南省叶县南三十里有古叶城),为叶尹,故称叶公。

② 不对:不回答。"对",是应答之意。

③ 女:同"汝"。你。 奚:何,为什么。

④ 云尔:如此而已,罢了。

子曰:"我非生而知之者,好古,敏以求之者也。"

【今译】

孔子说:"我不是生下来就有知识的人,而是爱好古代文化,勤奋敏捷地去求得知识的人。"

子不语怪、力、乱、神。

【今译】

孔子不谈论怪异、暴力、变乱、鬼神〔一类的事〕。

子曰:"三人行,必有我师焉。择其善者而从之,其不善者而改之。"

【今译】

孔子说:"〔如果〕三个人在一起走,其中必定有可以作为我的老师的人。选择他的优点长处,而跟从〔学习〕;看到有什么不好的地方,就〔反省自己〕加以改正。

子曰:"天生德于予,桓魋其如予何①!"

【今译】

孔子说:"上天使我具有了这种品德,桓魋能把我怎么样!"

【注释】

① 桓魋(tuí 颓):宋国的司马(主管军事行政的长官)。本名向魋,因是宋桓公的后裔,又称桓魋。公元前 492 年,孔子周游列国,从卫国去陈国时,经过宋国,桓魋听到消息,率兵来阻拦。当时,孔子正在大树下同弟子们演习周礼的仪式,桓魋砍掉大树,而且要杀孔子。孔子离开时,弟子们催促他快些走,他在途中说了这番话。

子曰:"二三子以我为隐乎①? 吾无隐乎尔。吾无行而不与二三子者,是丘也。"

【今译】

孔子说:"诸位以为我〔对你们〕有什么隐瞒吗? 我没有隐瞒啊。我没有什么行为不能告诉你们,这样才是我孔丘。"

【注释】

① 二三子:这里是孔子客气地称呼弟子们。"二三",表示约数。"子",是尊称。

子以四教:文①,行②,忠③,信④。

【今译】

孔子从四个方面教育学生:历史文献,行为规范,忠诚老实,讲究信用。

【注释】

① 文:文化知识,历史文献。

② 行:行为规范,道德修养,社会实践。

③ 忠:忠诚老实。

④ 信:讲信用,言行一致。

子曰:"圣人,吾不得而见之矣,得见君子者,斯可矣①。"子曰:"善人,吾不得而见之矣,得见有恒者,斯可矣。亡而为有②,

虚而为盈③,约而为泰④,难乎有恒矣。”

【今译】

孔子说:“圣人,我不可能见到了,能看到君子就可以了。”孔子又说:“善人,我不可能见到了,能看到有恒心〔保持良好品德节操〕的人,就可以了。〔有的人〕本来没有〔什么知识、本领〕,却假装有;本来空虚,却假装充实;本来穷困,却假装富裕。〔这样的人〕是难以有恒心〔保持良好品德节操〕的。”

【注释】

① 斯:就,乃,则。

② 亡:同“无”。

③ 盈:丰满,充实。

④ 约:穷困。 泰:宽裕,豪华,奢侈。

子钓而不纲①,弋不射宿②。

【今译】

孔子钓鱼,只用〔有一个鱼钩的〕钓竿,而不用纲;只射飞着的鸟,不射宿窝的鸟。

【注释】

① 纲:本意是提网的大绳。这里指在河流的水面上横着拉一根大绳,上面系有许多鱼钩以钓鱼。

② 弋(yì 义):用带绳的箭射鸟,叫“弋”。这种箭箭尾上所系的绳,叫“缴(zhuó 浊)”,是用生丝做成的,又细又韧,箭发射出去以后,还能靠绳收回再连续用。 宿:指归巢宿窝的鸟。

子曰:“盖有不知而作之者,我无是也。多闻,择其善者而从之;多见,而识之①。知之次也②。”

【今译】

孔子说:“可能有什么都不懂却在凭空妄作的人,可我不是

84

这样。多听，选择其中好的跟着来学习；多看，记在心里。这样〔学而知之〕，在知识上，〔比"生而知之"的人〕是仅次一等的。"

【注释】

① 识(zhì 志)：记住。

② 知之次也：即"学而知之者，次也"的意思。"次"，即次一等。孔子主张"生而知之者，上也；学而知之者，次也。"参阅《季氏篇第十六》第九章。

互乡难与言①。童子见，门人惑。子曰："与其进也②，不与其退也，唯何甚？人洁己以进，与其洁也，不保其往也③。"

【今译】

互乡这个地方的人很难交谈。〔但〕互乡的一个儿童却受到孔子的接见，弟子们都疑惑不解。孔子说："我是赞许他向前进，而不是赞成他往后退的。〔做事〕何必做得太过分呢？人家使自己清洁以求进步，我是赞许他的清洁，而不管他以往的行为。"

【注释】

① 互乡：地名。究竟是何处，已不可确考。一说，北宋地理总志《太平寰宇记》所记徐州沛县合乡的故城，即古时"互乡"之地。

② 与：赞许，赞成，肯定。下同。

③ 保：守。引申为追究，纠缠。

子曰："仁远乎哉？我欲仁，斯仁至矣。"

【今译】

孔子说："仁，〔距离我〕远吗？〔只要〕我想要做到仁，仁就〔随着心念〕到了。"

陈司败问①："昭公知礼乎②?"孔子曰："知礼。"孔子退，揖巫马期而进之曰③："吾闻君子不党④，君子亦党乎？君取于吴⑤，为同姓，谓之'吴孟子'⑥。君而知礼，孰不知礼！"巫马期以告。子曰："丘也幸，苟有过，人必知之。"

【今译】

陈司败问："鲁昭公知礼吗？"孔子说："知礼。"孔子出来以后，〔陈司败〕向巫马期作了个揖，走近他说："我听说君子是不偏袒别人的，难道君子也偏袒别人吗？鲁君娶了一个吴国女子，是同姓，却称她为'吴孟子'。如果说鲁君知礼，还有谁不知礼呢？"巫马期〔把这些话〕告诉孔子。孔子说："我真幸运，如果有了过错，人家一定会知道。"

【注释】

① 陈司败：陈国的司寇（主管司法的官员）。一说，姓陈，名司败，是齐国大夫。

② 昭公：鲁国国君，姓姬，名裯(chóu 愁)，公元前 541 年至公元前 510 年在位。"昭"是死后的谥号。

③ 揖(yī 衣)：拱手行礼，作揖。 巫马期：孔子的弟子，姓巫马，名施，字子期。鲁国人。比孔子小三十岁，生于公元前 521 年，卒年不详。

④ 党：偏袒，包庇，有偏私。

⑤ 取：同"娶"。

⑥ 吴孟子：鲁昭公夫人。春秋时，国君夫人的称号，一般是用她出生的国名加上她的姓。吴孟子姓姬，便应称"吴姬"。但是，吴国与鲁国的国君都姓姬（吴国是周文王的伯父太伯的后代，鲁国是周文王的儿子周公姬旦的后代），按照周礼的规定，同姓是不能通婚的。为了掩人耳目，鲁昭公避讳，不称她为"吴姬"，而称"吴孟子"（"孟"，指她是长女；"子"，是宋国的姓。一说，"孟子"是昭公夫人的名字，见《左传·哀公十二年》)。故陈司败批评指责他"君而知礼，孰不知礼"。然而，孔子为什么还说鲁昭公"知礼"呢？这是因为周礼提倡"为尊者讳，为贤者讳，为亲者讳"。孔子宁可自己承担过错，而不说鲁君不知礼。

子与人歌而善,必使反之①,而后和之②。

【今译】

孔子同别人一起唱歌,〔如果〕别人唱得好,就一定让他再唱一遍,然后自己跟着〔他的音调〕唱和。

【注释】

① 反:反复,再一次。

② 和(hè 贺):跟随着唱,应和,唱和。

子曰:"文,莫吾犹人也①。躬行君子,则吾未之有得。"

【今译】

孔子说:"在文化方面,大概我和别人差不多。至于做一个身体力行的君子,我还没有做到。"

【注释】

① 莫:推测之词。大概,或者,也许。一说,"文莫"连读,即"忞慔",意为黾(mǐn 敏)勉努力。句中的意思是:在奋勉努力方面,我和别人差不多。

子曰:"若圣与仁,则吾岂敢! 抑为之不厌①,诲人不倦,则可谓云尔已矣②。"公西华曰:"正唯弟子不能学也。"

【今译】

孔子说:"如果说到'圣'与'仁',那我怎么敢当!〔我〕只不过〔要朝着'圣'与'仁'的方向〕努力而从不满足,教育别人从不感到疲倦,〔对于我〕尚且可以这样说吧。"公西华说:"这正是弟子学不到的。"

【注释】

① 抑:转折语气词。然则,抑或,或许。

② 云尔:这样,如此。

子疾病①,子路请祷②。子曰:"有诸③?"子路对曰:"有之。《诔》曰④:'祷尔于上下神祇⑤。'"子曰:"丘之祷久矣⑥。"

【今译】

孔子病重,子路请求祈祷。孔子说:"有这个道理吗?"子路回答说:"有的。《诔》文上说:'为您向天地上下的神灵祈祷。'"孔子说:"我在祈祷已经很久了。"

【注释】

① 疾病:"疾",就是病。再加一个"病"字,指病情严重。

② 祷:向鬼神祝告,请求福祐。

③ 诸:"之乎"的合音。

④ 诔(lěi 垒):一种对死者表示哀悼的文章。这里当作"讄",指古代为生者向鬼神祈福的祷文。

⑤ 神祇(qí 奇):古代称天神为"神",地神为"祇"。

⑥ "丘之"句:"久",长久。这句话的言外之意:你不必再祈祷了。孔子并不相信向鬼神祈祷能治好病,所以婉言谢绝子路的请求。

子曰:"奢则不孙①,俭则固②。与其不孙也,宁固。"

【今译】

孔子说:"奢侈了就会不逊,节俭了就〔显得〕鄙陋。与其不逊,宁可鄙陋。"

【注释】

① 孙:同"逊"。恭顺,谦让。

② 固:固陋,鄙陋,小气,寒酸。

子曰:"君子坦荡荡①,小人长戚戚②。"

【今译】

孔子说:"君子心胸平坦宽广,小人局促经常忧愁。"

【注释】

① 坦:安闲,开朗,直率。　荡荡:宽广,辽阔。
② 长:经常,总是。　戚戚:忧愁,哀伤,局促不安,患得患失。

子温而厉,威而不猛,恭而安。

【今译】

孔子温厚而又严肃,有威严而不凶猛,恭谨而又安详。

泰伯篇第八

（共二十一章）

主要讲孔子、曾子的言论，及对古人的评赞。

子曰："泰伯其可谓至德也已矣①，三以天下让②，民无得而称焉。"

【今译】

孔子说："泰伯可以称得上是品德最高尚的人了，三次以天下相让，人民真不知该怎样称赞他。"

【注释】

① 泰伯：周朝姬氏的祖先有名叫古公亶（dǎn 胆）父的，又称"太王"。古公亶父共有三个儿子：长子泰伯（又称"太伯"），次子仲雍，三子季历（即周文王姬昌的父亲）。传说古公亶父见孙儿姬昌德才兼备，日后可成大业，便想把王位传给季历，以谋求后世能扩展基业，有所发展。泰伯体察到了父亲的意愿，就主动把王位的继承权让给三弟季历；而季历则认为，按照惯例，王位应当由长兄继承，自己也不愿接受。后来，泰伯和二弟仲雍密谋，以去衡山采药为名，一起悄悄离开国都，避居于荆蛮地区的勾吴。泰伯后成为周代吴国的始祖。

② "三以"句："天下"，代指王位。第一次让，是泰伯离开国都，避而出走。第二次让，是泰伯知悉父亲古公亶父去世，故意不返回奔丧，以避免被众臣拥立接受王位。第三次让，是发丧之后，众臣议立新国君时，泰伯在荆蛮地区，索性与当地黎民一样，断发纹身，表示永不返回。这样，他的三弟季历只好继承王位。有了泰伯的这"三让"，才给后来姬昌（周文

王)继位统一天下创设了条件,奠定了基础。因此,孔子高度称赞泰伯。

子曰:"恭而无礼则劳,慎而无礼则葸①,勇而无礼则乱,直而无礼则绞②。君子笃于亲③,则民兴于仁;故旧不遗,则民不偷④。"

【今译】

孔子说:"[只是容貌态度]恭敬而没有礼[来指导]就会劳扰不安;[只是做事]谨慎而没有礼[来指导]就会畏缩多惧;[只是]刚强勇猛而没有礼[来指导]就会作乱;[只是]直率而没有礼[来指导]就会说话刻薄尖酸。君子如果厚待亲族,老百姓就会按仁德来行动;君子如果不遗忘故旧,老百姓也就厚道了。"

【注释】

① 葸(xī 洗):过分拘谨,胆怯懦弱。

② 绞:说话尖酸刻薄,出口伤人;太急切而无容忍。

③ 笃(dǔ 赌):诚实,厚待。

④ 偷:刻薄。

曾子有疾①,召门弟子曰:"启予足②,启予手!《诗》云:'战战兢兢,如临深渊,如履薄冰③。'而今而后,吾知免夫。小子④!"

【今译】

曾子病危,召集他的弟子们来,说:"[掀开被子]看看我的脚,看看我的手[有无毁伤之处]。《诗经》中说:'战战兢兢,就好像站在深渊旁边,就好像踩在薄冰之上。'从今以后,我知道[我的身体]会免于毁伤了。弟子们!"

【注释】

① 曾子:曾参,孔子的弟子。《论语》成书时,后世门生记其言行,尊

称为"子"。

② 启:开。这里指掀开被子看一看。一说,同"晵",看。

③ "战战兢兢"句:引自《诗经·小雅·小旻(mín 民)》篇。曾参借用这句话,表明自己一生处处小心谨慎,避免身体受损伤,算是尽了孝道。据《孝经》载,孔子曾对曾参说:"身体发肤受之父母,不敢毁伤,孝之始也。""履",本义是单底鞋,也泛指鞋。这里作动词用,走、踩,步行。

④ 小子:称弟子们。这里说完一番话之后再呼弟子们,表示反复叮咛。

　　曾子有疾,孟敬子问之①。曾子言曰:"鸟之将死,其鸣也哀②;人之将死,其言也善。君子所贵乎道者三:动容貌③,斯远暴慢矣;正颜色,斯近信矣;出辞气④,斯远鄙倍矣⑤。笾豆之事⑥,则有司存⑦。"

【今译】

　　曾子病危,孟敬子去探望他。曾子说:"鸟将要死的时候,鸣叫的声音是悲哀的;人将要死的时候,说的话是善意的。君子应当重视的道德有三方面:使容貌谦和严肃,就可以避免粗暴急躁,放肆怠慢;使脸色正派庄重,就接近于诚实守信;说话注意言词[得体]和口气[声调合宜],就可以避免粗野和背理。至于祭祀和礼节仪式,自有主管的官吏去办。"

【注释】

① 孟敬子:姓仲孙,名捷,武伯之子,鲁国大夫。　问:看望,探视,问候。

② 也:句中语气助词。表示提顿,以起下文,兼有舒缓语气的作用。

③ 动容貌:即"动容貌以礼"。指容貌谦和,恭敬,从容,严肃,礼貌等。

④ 出辞气:即"出辞气以礼"。"出",是出言,发言。"辞气",指所用的词句和语气。

⑤　鄙倍："鄙",粗野。"倍",同"背"。指背理,不合理,错误。

⑥　笾豆之事:"笾(biān 边)",古代一种竹制的礼器,圆口,下面有高脚,在祭祀宴享时用来盛果脯。"豆",古代一种盛食物盛肉的器皿,木制,有盖,形状像高脚盘。笾和豆都是古代祭祀和典礼中的用具。笾豆之事,就是指祭祀或礼仪方面的事务。

⑦　有司:古代指主管某一方面事务的官吏。这里具体指管理祭祀或仪礼的小官吏。　存:有,存在。

曾子曰:"以能问于不能,以多问于寡;有若无,实若虚;犯而不校①。昔者吾友尝从事于斯矣②。"

【今译】

曾子说:"有才能却向没有才能的人询问,知识多的却向知识少的人询问;有[本事]却好像没有,[知识学问]很充实却好像很空虚;被人冒犯也不去计较。从前我的朋友曾经这样做过。"

【注释】

①　校(jiào 叫):计较。

②　吾友:我的朋友。有人认为:曾参指的是他的同学颜回。

曾子曰:"可以托六尺之孤①,可以寄百里之命②,临大节而不可夺也③。君子人与④? 君子人也!"

【今译】

- 曾子说:"可以把年幼的孤儿托付给他,可以把国家的命运委托给他,面临重大考验有气节而不动摇屈服。这是君子一类的人吗? 是君子一类的人啊!"

【注释】

①　六尺之孤:孩子死去父亲,叫"孤"。六尺之孤,指尚未成年而登基接位的年幼君主。古代的"尺"短,一尺合现代市尺六寸九分。身长"六尺",其实只合现在四尺一寸四分(约 138 公分),一般指未成年的小孩(十

五岁以下)。

② 寄百里之命:"寄",寄托,委托。"百里",指方圆百里的一个诸侯国。"命",指国家的政权与命运。

③ 不可夺:指其志不可夺,不能使他动摇屈服。

④ 与:同"欤"。语气词。

曾子曰:"士不可以不弘毅①,任重而道远。仁以为己任②,不亦重乎?死而后已,不亦远乎?"

【今译】

曾子说:"士,不可以不心胸开阔、意志坚强,[因为]责任重大,道路遥远。把实现'仁'看作是自己的任务,不也是很重大吗?[要终生为之奋斗]到死才停止,不也是很遥远吗?"

【注释】

① 弘毅:"弘",广大,开阔,宽广。"毅",坚强,果敢,刚毅。宋代儒学家程颢解说:"弘而不毅,则无规矩而难立;毅而不弘,则隘陋而无以居之。""弘大刚毅,然后能胜重任而远到。"

② "仁以"句:"以仁为己任"的倒装句。把实现"仁"看作是自己的任务。

子曰:"兴于《诗》①,立于礼②,成于乐③。"

【今译】

孔子说:"用《诗经》激励志气,用礼作为行为规范的立足点,用乐完成人格修养社会之治。"

【注释】

① 兴:兴起,勃发,激励;受到《诗经》的感染,而热爱真善美,憎恨假恶丑。

② 立:立足于社会,树立道德。

③ 成:完成,达到。这里指以音乐来陶冶性情,涵养高尚的人格,完

94

成学业,最终达到全社会"礼乐之治"的最高境界。

子曰:"民可使由之^①,不可使知之。"

【今译】

孔子说:"对老百姓,可以使他们顺着当政者所指点的路线去走,而不可以使他们都知道为什么这样走。"

【注释】

① 由:从,顺从,听从,经由什么道路。孔子认为下层百姓的才智能力、认识水平、觉悟程度各不一样,当政者在施行政策法令时,只能要求他们遵照着去做,而不可以使人人都知道这样做的道理。

子曰:"好勇疾贫^①,乱也。人而不仁^②,疾之已甚^③,乱也。"

【今译】

孔子说:"爱勇敢而恨贫穷,会闯乱子。对不仁的人,恨得太厉害,也会激出祸乱。"

【注释】

① 疾:厌恶,憎恨。

② 人而不仁:不仁的人。

③ 已甚:太过分,很厉害。

子曰:"如有周公之才之美,使骄且吝^①,其馀不足观也已。"

【今译】

孔子说:"[一个人]假如有周公那样美好的才能,只要骄傲自大而且吝啬小气,馀下的也就不值得一看了。"

【注释】

① 吝(lìn 赁):吝啬,小气,过分爱惜,应当用而不用。

子曰："三年学,不至于谷①,不易得也。"

【今译】

孔子说："学了三年,并不转到要官做求俸禄的念头上去,是难得的啊。"

【注释】

①　谷:谷子,小米。古代官吏以谷子来计算俸禄,这里以"谷"代指做官及其俸禄。

子曰："笃信好学,守死善道①,危邦不入,乱邦不居②。天下有道则见③,无道则隐。邦有道,贫且贱焉,耻也;邦无道,富且贵焉,耻也。"

【今译】

孔子说："坚定信念,努力学习,誓死保全并爱好〔治国作人之〕道,有危险的国家,不要进入;有祸乱的国家,不要在那儿居住。天下有道,就出来从政;天下无道,就隐居起来。国家有道,而自己贫贱,是耻辱;国家无道,而自己富贵,也是耻辱。"

【注释】

①　道:这里指治国作人的原则与方法。下文"邦有道""邦无道"则指社会政治局面的好与坏,国家政治是否走上正道。

②　危邦,乱邦:东汉儒学家包咸解说:"臣弑君,子弑父,乱也;危者,将乱之兆(征兆,预兆)也。"

③　见:同"现"。表现,出现,出来。

子曰："不在其位,不谋其政①。"

【今译】

孔子说："不在那个职位上,就不要过问那方面的政事。"

【注释】

①　谋:参与,考虑,谋划。

子曰:"师挚之始①,《关雎》之乱②,洋洋乎盈耳哉!"

【今译】

孔子说:"从太师挚演奏开始,到结尾演奏《关雎》,多么美盛啊,那充满在我耳朵中的乐曲!"

【注释】

①　师挚之始:"师",指太师,乐师。鲁国的乐师名挚(zhì 志),一名"乙"。因他擅长弹琴,又称"琴挚"。"始",乐曲的开端,即序曲。古代奏乐,开端叫"升歌",一般由太师演奏,故说"师挚之始"。

②　关雎:《诗经》的第一篇。参见前《八佾篇第三》第二十章。　乱:乐曲结尾的一段,由多种乐器合奏。这里指演奏到结尾时所奏的《关雎》乐章。

子曰:"狂而不直,侗而不愿①,悾悾而不信②,吾不知之矣。"

【今译】

孔子说:"[有的人]狂妄而不正直,幼稚无知还不谨慎,表面上诚恳却不守信用,我不知道这种人怎么会这样。"

【注释】

①　侗(tóng 同):幼稚无知。　愿:谨慎,老实,厚道。

②　悾悾(kōng 空):诚恳。这里指表面上装出诚恳的样子。

子曰:"学如不及,犹恐失之。"

【今译】

孔子说:"学习就像追赶[什么]而追不上那样,[追上了]还恐怕再失去它。"

子曰:"巍巍乎①,舜、禹之有天下也,而不与焉②。"

【今译】

孔子说:"多么崇高伟大啊,舜、禹得到了天下,却不去谋取个人的私利呀。"

【注释】

① 巍巍:本是形容高大雄伟的山,在这里用,是赞美舜和禹的崇高伟大。

② 而不与焉:历来学者有四种解释:一、"与",赞许。意思是:舜、禹,难道不值得赞许吗?二、"与",同"举"。拔取,夺取。意思是:舜、禹得到天下,不是靠夺取而来的。三、"与",参与政事。意思是:舜、禹得到天下,重视选贤任能,发挥大臣们的作用,自己并不亲自干预具体的政事。四、"与",同"预"。参与,含有私自占有和享受的意思。意思是:尧把天下禅让给舜,舜后来又禅让给禹,他们不是孜孜以求王位,不以得到王位为乐;虽然得了天下,却好像同自己不相关一样,不以国君的地位去谋取个人的私利、贪图个人的享受。本书取此说。

子曰:"大哉,尧之为君也! 巍巍乎,唯天为大,唯尧则之①。荡荡乎②,民无能名焉③。巍巍乎,其有成功也。焕乎④,其有文章⑤。"

【今译】

孔子说:"伟大呀,尧做为这样的君主! 多么崇高啊,只有天是最高大的,只有尧才能效法天。他的恩德功绩多么广大啊,人民不知该怎样称赞他。多么崇高啊,他成就的功业。多么光辉啊,他制定的礼乐典章制度。"

【注释】

① 则:效法,取法。

② 荡荡:广大,广远,广博无边。

③ 名:用言语去形容,赞美。

④　焕：光辉，光明。

⑤　文章：指礼乐典章制度。

舜有臣五人①，而天下治。武王曰："予有乱臣十人②。"孔子曰："才难。不其然乎？唐虞之际③，于斯为盛④，有妇人焉，九人而已。三分天下有其二⑤，以服事殷。周之德，其可谓至德也已矣。"

【今译】

舜有贤臣五人，就能把天下治理好。周武王说："我有能治理国家的大臣十人。"孔子[因此]说："人才难得。难道不是这样么？在唐尧、虞舜时代[之后]，周武王时期人才最盛，然而[十位治国大臣中]有一人是妇女，实际上只有九人而已。[周文王]已经占有了三分之二的天下，他却仍然向殷纣王称臣。周朝的道德，可以说是最高的了。"

【注释】

①　"舜有"句：传说舜有五位贤臣，分别是：禹，稷（jì 记），契（xiè 谢），皋陶（gāoyáo 高摇），伯益。

②　乱臣十人："乱"，在这里是治理的意思。"乱臣"，指能治理国家的大臣。十人是：周公旦，召公奭（shì 式），太公望，毕公，荣公，太颠，闳夭，散宜生，南宫适（武王曾命他"散鹿台之财，发钜桥之粟，以赈贫弱"。与孔子弟子南宫适不是一人），另有一名妇女是邑姜（南宫适夫人，专管内务）。

③　唐虞之际：尧舜之时。"唐"，尧的国号。"虞"，舜的国号。"际"，时期，时候。

④　斯：代词。指周武王时代。

⑤　"三分"句：传说商纣时天下分为九州，归附文王的已有六个州（荆，梁，雍，豫，徐，扬），只有青，兖，冀三州属商纣王。

子曰："禹，吾无间然矣①！菲饮食而致孝乎鬼神②；恶衣服而致美乎黻冕③；卑宫室而尽力乎沟洫④。禹，吾无间然矣！"

【今译】

孔子说："对于禹，我没有可批评的地方啊。他的饮食菲薄，却尽量[以丰洁的祭品]孝敬鬼神；他平时穿衣服很简朴，而祭祀时却尽量穿华美的礼服；他住的宫室低矮狭小，却尽力兴修水利，挖沟开田间水道。对于禹，我没有可批评的地方啊！"

【注释】

① 间(jiàn见)：本意指空隙。这里用作动词，含有挑剔、批评、非议等意思。

② 菲(fēi匪)：菲薄，不丰厚。 致：致力，努力去做。

③ 黻冕(fú miǎn 府免)：祭祀时穿的礼服，叫黻；官职在大夫以上的人戴的礼帽，叫冕。

④ 卑：低矮狭小，简陋。 洫(xù 序)：田间的水道，起着正疆界、备旱涝的作用。

子罕篇第九

(共三十章)

主要讲孔子提倡礼制,鼓励人们好学不倦;以及记述孔子不肯说什么,不肯做什么。

子罕言利①,与命与仁②。

【今译】

孔子很少谈财利,赞同天命,赞许仁德。

【注释】

① 罕:少。

② 与:赞同,肯定。一说,"与",是连词"和"。则此句的意思为:孔子很少谈财利、天命和仁德。宋儒程颐就曾说:"计利则害义,命之理微,仁之道大,皆夫子所罕言也。"但是,综观《论语》全书,共用"命"字 21 次,其中含"命运""天命"意义的,有 10 次;共用"仁"字 109 次,其中含"仁德"意义的达 105 次。由此看来,说孔子很少谈天命和仁德,是缺乏根据的。

达巷党人曰①:"大哉孔子! 博学而无所成名。"子闻之,谓门弟子曰:"吾何执②? 执御乎? 执射乎? 吾执御矣。"

【今译】

达巷那个地方的人说:"真伟大呀孔子! 知识学问很广博,而没有可以成名的专长。"孔子听到这话,对本门弟子们说:"我专做什么呢? 做驾车的事吗? 做射箭的事吗? [那么]我从事驾车吧!"

【注释】

① 达巷党人:达巷那个地方的人。"达巷",地名。山东省滋阳县(今兖州市)西北,相传即达巷党人所居。"党",古代地方组织,五百家为一党。一说,"达巷党人",指项橐(tuó 驼)。传说项橐七岁为孔子师。

② 执:专做,专门从事。

子曰:"麻冕①,礼也;今也纯②,俭③。吾从众。拜下④,礼也;今拜乎上,泰也⑤。虽违众,吾从下。"

【今译】

孔子说:"用麻布做的礼帽,符合古礼;现在用丝绸做,比较节俭。我赞成众人的做法。[臣见君王]先在堂下跪拜行礼[然后升堂再跪拜一次],符合古礼;现在[臣见君,不先在堂下拜,而是直接]升堂时行一次跪拜礼,这是高傲轻慢的表现。虽然违反众人的做法,我还是赞成先在堂下行跪拜礼。"

【注释】

① 麻冕:用麻布制成的礼帽。按古时规定,要用两千四百根麻线,织成二尺二寸宽(约合现在一尺五寸)的布来做。很费工,所以不如用丝绸俭省。

② 纯:黑色的丝绸。

③ 俭:节俭,俭省。

④ 拜下:按照传统古礼,臣见君王,先在堂下跪拜;君王打了招呼之后,到堂上再跪拜一次。

⑤ 泰:轻慢,骄奢。

子绝四:毋意①,毋必②,毋固③,毋我④。

【今译】

孔子杜绝了四种缺点:不凭空猜测意料,不绝对肯定,不固执拘泥,不自以为是。

【注释】

① 毋:同"勿"。不,不要。 意:推测,猜想。

② 必:必定,绝对化。

③ 固:固执,拘泥。

④ 我:自私,自以为是,唯我独尊。

子畏于匡①,曰:"文王既没②,文不在兹乎③? 天之将丧斯文也,后死者不得与于斯文也④;天之未丧斯文也,匡人其如予何⑤!"

【今译】

孔子在匡地受到围困拘禁,他说:"周文王已经死了,周代的文化遗产不都是在我这里吗?上天如果想要毁灭这种文化,我就不可能掌握这种文化了;上天如果不要毁灭这种文化,匡人能把我怎么样呢?"

【注释】

① 子畏于匡:"畏",受到威胁,被拘禁。"匡",地名。今河南省长垣县西南十五里有"匡城",疑即此地。公元前496年,孔子从卫国去陈国时,经过匡地,被围困拘禁。其原因有二:一、当时楚国正进攻卫、陈,群众不了解孔子,对他怀疑,有敌意,有戒心。二、匡地曾遭受鲁国阳货的侵扰暴虐。阳货,又名阳虎(一说,字货),是春秋后期鲁国季氏的家臣,权势很大。当阳货侵扰匡地时,孔子的一名弟子颜克曾经参与。这次,孔子来到匡地,正好是颜克驾马赶车,而孔子的相貌又很像阳货,人们认出了颜克,于是以为是仇人阳货来了,便将他包围,拘禁了五天,甚至想杀他。直到弄清真情,才放了他们。

② 文王:周文王。姓姬,名昌,西周开国君王周武王(姬发)的父亲。孔子认为文王是古代圣人之一。

③ 兹:这,此。这里指孔子自己。

④　后死者:孔子自称。　　与:参与。引申为掌握,了解。一说,通
"举"。兴起。

⑤　如予何:把我如何,能把我怎么样。"予",我。

太宰问于子贡曰①:"夫子圣者与②? 何其多能也?"子贡
曰:"固天纵之将圣③,又多能也。"子闻之,曰:"太宰知我乎? 吾
少也贱,故多能鄙事④。君子多乎哉? 不多也。"

【今译】

太宰问子贡道:"孔夫子是圣人吧? 怎么这样多才多艺呢?"
子贡说:"这本是上天使他成为圣人,又使他多才多艺的。"孔子
听到后,说:"太宰了解我吗? 我少年时贫贱,所以会许多卑贱的
技艺。[地位高的]君子会有这么多的技艺吗? 不会多啊。"

【注释】

①　太宰:周代掌管国君宫廷事务的官员。当时,吴、宋二国的上大
夫,也称太宰。一说,这人就是吴国的太宰伯嚭(pī 匹),不可确考。

②　与:同"欤"。语气助词。

③　纵:让,使,听任,不加限量。

④　鄙事:低下卑贱的事。孔子年轻时曾从事农业劳动,放过羊,赶
过车,当过仓库保管,还当过司仪,会吹喇叭演奏乐器等等。

牢曰①:"子云:'吾不试②,故艺。'"

【今译】

牢说:"孔子说过:'[年少时]我没有[被任用]做官,所以学
会许多技艺。'"

【注释】

①　牢:有人认为是孔子的弟子琴牢。姓琴,字子开,一字子张,或称
"琴张"。卫国人。但《史记·仲尼弟子列传》并无此人。

②　试:用。引申为被任用,做官。

104

子曰:"吾有知乎哉? 无知也。有鄙夫问于我①,空空如也。我叩其两端而竭焉②。"

【今译】

孔子说:"我有知识吗? 没有知识。有位乡下人问我[一些问题],我脑子里像是空空的;可是我询问了[那些问题的]正反两方面,就完全有了[答案]。"

【注释】

① 鄙夫:这里指乡村的人。"鄙",周制,以五百家为"鄙"。后也称小邑、边邑为"鄙"。

② 叩:询问。 两端:两头。指事情(问题)的正反、始终、本末等两个方面。 竭:完全,穷尽。

子曰:"凤鸟不至①,河不出图②,吾已矣夫!"

【今译】

孔子说:"凤鸟不飞来,黄河也不出现八卦图,我[这一生]将要完了!"

【注释】

① 凤鸟:古代传说中的一种神鸟。雄的叫"凤",雌的叫"凰",羽毛非常美丽,为百鸟之王。传说凤鸟在舜的时代和周文王时代出现过。凤鸟的出现,象征着天下太平,"圣王"将要出世。

② 图:传说上古伏羲时代,黄河中有龙马背上驮着"八卦图"出现。"图"的出现,是"圣人受命而王"的预兆。《尚书·周书·顾命》篇,记有"河图"之事。文中,孔子以"凤""图"之说,表示自己对当时政治黑暗,天下混乱,"大道不行"的失望。

子见齐衰者①,冕衣裳者与瞽者②,见之,虽少,必作③;过之,必趋④。

【今译】

孔子遇见穿丧服的人，戴礼帽穿礼服的人和盲人，虽然他们年轻，相见时，孔子一定站起身来；在他们面前经过的时候，也一定要恭敬地迈小步快快走过。

【注释】

① 齐衰(zī cuī 资崔)：古代用麻布做的丧服。为五服之一，因其缉边缝齐，故称。"齐"，衣的下摆。

② 冕衣裳者："冕"，做官人戴的高帽子；"衣"，上衣；"裳"，下服。总起来指穿着礼服(官服)的人。 瞽(gǔ 古)：双目失明，盲人。

③ 作：站起身来。表示同情和敬意。

④ 趋：迈小步快走。也是表示敬意。

颜渊喟然叹曰①："仰之弥高②，钻之弥坚③；瞻之在前④，忽焉在后。夫子循循然善诱人⑤，博我以文，约我以礼，欲罢不能，既竭吾才。如有所立卓尔⑥，虽欲从之，末由也已⑦。"

【今译】

颜渊感叹地说："[老师的道德品格和学识，]抬头仰望，越望越觉得高；努力去钻研，越钻研越觉得艰深；看着好像在前面，忽然又像是在后面。老师善于一步一步地诱导人，用文化典籍来丰富我的知识，用礼节来约束我的行动，使我想停止前进也不可能，直到竭尽了我的才力[也不能停止学习]。总好像有一个非常高大的东西立在前面，虽然很想要攀登上去，却没有途径。"

【注释】

① 喟(kuì 溃)：叹气，叹息。

② 弥：更加，越发。

③ 钻：深入钻研。 坚：本意是坚硬，坚固。这里引申为深，艰深。

④ 瞻(zhān 沾)：看，视。

⑤ 循循然：一步一步有次序地。 诱：引导，诱导。

⑥　卓尔:高大直立的样子。

⑦　末由:指不知从什么地方,不知怎么办,没有办法去达到。"末",没有,无。"由",途径。

子疾病①,子路使门人为臣②。病间③,曰:"久矣哉,由之行诈也④! 无臣而为有臣。吾谁欺? 欺天乎? 且予与其死于臣之手也,无宁死于二三子之手乎⑤? 且予纵不得大葬⑥,予死于道路乎?"

【今译】

孔子病重,子路派弟子去做家臣[以便负责料理后事]。后来孔子的病好转一些,便说:"很久了啊,仲由干这种欺骗人的事! 我本来没有家臣,却要装作有家臣。让我欺骗谁呢? 欺骗上天吗? 况且,我与其在家臣的料理下死去,倒不如在弟子你们的料理下死去。而且,我即使不能以大夫之礼来隆重安葬,难道我会死在道路上吗?"

【注释】

①　疾病:"疾",生病。"病",病重,病危。

②　臣:指家臣。按当时礼法,只有受封的大夫,才有家臣,死后丧事,也是由家臣负责料理。孔子那时已经不做官了,本来没有家臣,但是子路却要安排门人去充当孔子的家臣,这是为了摆一下排场,准备以大夫之礼来安葬孔子。

③　间(jiàn 见):本指间隙。这里指疾病好了一些,病势转轻。

④　由:即子路。姓仲名由,子路是字。

⑤　无宁:"无",发语词,没有意义。"宁",宁可。"无宁"常与"与其"连用,表示选择。"与其"用在放弃的一面,"无宁"用在肯定的一面。　二三子:对弟子们的称呼,犹言"你们几位"。

⑥　大葬:指按葬大夫的礼节来安葬。

子贡曰:"有美玉于斯,韫椟而藏诸①?求善贾而沽诸②?"子曰:"沽之哉!沽之哉!我待贾者也!"

【今译】

子贡说:"有一块美玉在这里,是把它放入柜子里收藏起来呢?还是找一个识货的商人卖掉它呢?"孔子说:"卖它吧!卖它吧!我正等着识货的商人哩!"

【注释】

① 韫椟:"韫(yùn 运)",收藏起来。"椟(dú 毒)",柜子。后以"韫椟"表示怀才未用。

② 贾(gǔ 古):商人。古代称行商,为商;有固定店铺的商人,为贾。沽(gū 姑):卖,买。 诸:"之乎"二字的合音。

子欲居九夷①。或曰:"陋②,如之何?"子曰:"君子居之,何陋之有?"

【今译】

孔子想要迁到九夷地方居住。有人说:"那里很落后,如何能居住呢?"孔子说:"君子居住到那里[去实行教化],还有什么落后的呢?"

【注释】

① 九夷:我国古代称东部的少数民族为夷。至于"九夷",或说是指九个不同的部族;或说是对东部夷族地区的总称;或说即"淮夷",是散居于淮水、泗水之间的一个部族。已不可确考。

② 陋:本义是狭小,简陋。这里引申为经济、文化的落后。

子曰:"吾自卫反鲁①,然后乐正,《雅》《颂》各得其所②。"

【今译】

孔子说:"我自卫国返回鲁国,然后把乐曲进行了整理订正,使雅归雅,颂归颂,各归于适当的位置。"

【注释】

①　自卫反鲁:"反",同"返"。指公元前484年(鲁哀公十一年)冬,因卫国发生内乱,孔子从那儿返回鲁国,结束了他十四年来"周游列国"的生活。

②　雅,颂:《诗经》篇章分《风》、《雅》、《颂》三大类。在古代,《诗经》305篇诗,都是能唱的。不同的诗配有不同的乐曲。奏于朝曰雅,奏于庙曰颂。这里指《雅》、《颂》的乐章内容和曲谱,都得到了孔子的整理与订正,而教之于徒,传之于世。

子曰:"出则事公卿,入则事父兄,丧事不敢不勉,不为酒困,何有于我哉①?"

【今译】

孔子说:"在外[从政就职]事奉君王公卿,在家事奉父母兄长,办理丧事不敢不勤勉尽力,就是喝酒也不致被醉倒,[这些事]我做到了哪些呢?"

【注释】

①　"何有"句:一说,此句意为:我还有什么困难或遗憾呢?

子在川上曰:"逝者如斯夫①,不舍昼夜②。"

【今译】

孔子在河边说:"消逝的时光就像这河水一样啊! 日日夜夜不停地流去。"

【注释】

①　逝者:指逝去的岁月、时光。　斯:这。这里指河水。　夫(fú扶):语气助词。

②　舍:止,停留。

子曰："吾未见好德如好色者也①。"

【今译】

孔子说："我没见过爱慕德行像爱慕美色[那样热切]的人。"

【注释】

① "吾未见"句：据《史记·孔子世家》记载，孔子"居卫月馀，灵公与夫人(南子)同车，宦者雍渠参乘出，使孔子为次乘(后面的第二部车子)，招摇市过之"。孔子因而发出了这一感叹。

子曰："譬如为山，未成一篑①，止，吾止也。譬如平地，虽覆一篑②，进，吾往也③。"

【今译】

孔子说："比如用土来堆一座山，只差一筐土便能堆成，可是停止了，那是我自己停止的。比如在平地上[堆土成山]，虽然才倒下一筐土，可是前进[继续堆土]，那是我自己坚持往前的。"

【注释】

① 篑(kuì 溃)：装土用的竹筐子。

② 覆：底朝上翻过来倾倒。

③ 往：犹言前进。这几句话的言外之意是：办事中道而止，则前功尽弃，停止或前进，责任在自己而不在别人。

子曰："语之而不惰者①，其回也与②！"

【今译】

孔子说："听我对他说话而不懈怠的，莫非只有颜回吧！"

【注释】

① 惰：懈怠，不恭敬。

② 其：表示揣测、反诘。莫非，难道，也许。　与：同"欤"。语气助词。

110

子谓颜渊曰:"惜乎! 吾见其进也,未见其止也。"

【今译】

孔子谈到颜渊,[追叹]说:"真可惜呀[他不幸死了]! 我只看到他不断前进,从来没见他停止过。"

子曰:"苗而不秀者有矣夫! 秀而不实者有矣夫①!"

【今译】

孔子说:"[种庄稼]只是出苗而不秀穗的是有的吧! 只秀穗却不灌浆不结果实的也是有的吧!"

【注释】

① 据《论语注疏》,此章是孔子惋惜颜渊早逝而作。

子曰:"后生可畏,焉知来者之不如今也? 四十、五十而无闻焉,斯亦不足畏也已。"

【今译】

孔子说:"年轻人是值得敬服的,怎么知道将来的人们不如现在的人们呢? 但如果到了四十岁、五十岁还默默无闻,那也就不值得敬服了。"

子曰:"法语之言①,能无从乎? 改之为贵。巽与之言②,能无说乎③? 绎之为贵④。说而不绎,从而不改,吾末如之何也已矣。"

【今译】

孔子说:"符合礼法的话,能不听从吗? 但只有[按照原则]改正[自己的缺点错误],才是可贵的。顺耳好听的话,能不让人高兴吗? 但只有分析鉴别[这些话的真伪是非],才是可贵的。如果只高兴而不分析鉴别,只听从而不改正自己,[对于这样的人]我实在没有什么办法啊。"

【注释】

① 法语之言:指符合礼法规范、符合国家法令的正确的话。"法",法则,规则,原则。

② 巽与之言:"巽(xùn 逊)",通"逊",谦逊,恭顺。"与",赞许,称赞。巽与之言,指那种顺耳好听的、恭维称道的言词。

③ 说:同"悦"。

④ 绎(yì 义):本义是抽丝。引申为寻究事理,分析鉴别以便判断真假是非。

子曰:"主忠信。毋友不如己者。过则勿惮改①。"

【今译】

孔子说:"做人,主要讲求忠诚,守信用。不要同不如自己的人交朋友。如果有了过错,就不要怕改正。"

【注释】

① 《学而篇第一》第八章文字与此略同,可参阅。

子曰:"三军可夺帅也①,匹夫不可夺志也②。"

【今译】

孔子说:"三军可以丧失它的主帅,一个人却不可以丧失他的志向。"

【注释】

① 三军:古制,一万二千五百人为一军。周朝,一个大诸侯国可拥有三军(三万七千五百人)。

② 匹夫:普通的人,男子汉。

子曰:"衣敝缊袍①,与衣狐貉者立②,而不耻者,其由也与? '不忮不求,何用不臧③?'"子路终身诵之。子曰:"是道也,何足以臧?"

【今译】

孔子说:"穿着破旧的丝绵袍子,同穿着狐貉皮袍子的人在一起站着,而不觉得自己耻辱的人,大概只有仲由吧?[《诗经》中说:]'不嫉妒别人,不贪求财物,什么行为能不好呢?'"子路终身经常背诵这两句诗。孔子说:"做到这样固然是道之所在,[但]怎么能算得上十足的好呢?"

【注释】

① 衣敝缊袍:"衣",做动词用,穿。"敝",破,坏。"缊(yùn 运)":乱麻、旧绵絮。全句指穿着破旧的用乱麻掺旧绵絮做的袍子。

② 衣狐貉者:穿着狐狸皮貉皮袍子的人。指富贵者。"貉(hé 盒)",似狸,毛皮珍贵。

③ "不忮"二句:出自《诗经·邶风·雄雉》篇。"忮(zhì 志)",嫉妒别人。"求",贪求财物。"何用",何行,什么行为。"臧(zāng 脏)",好,善。

子曰:"岁寒,然后知松柏之后凋也①。"

【今译】

孔子说:"到了一年最寒冷的时节,才知道松柏树是最后凋谢的。"

【注释】

① 凋(diāo 刁):凋零,萎谢,草木花叶脱落。松柏树四季常青,经冬不凋。孔子以此为喻,有"烈火见真金"、"路遥知马力"、"国乱识忠臣"、"士穷显节义"的含意。

子曰:"知者不惑①,仁者不忧,勇者不惧。"

【今译】

孔子说:"聪明智慧的人不会迷惑,实行仁德的人不会忧愁,真正勇敢的人不会畏惧。"

【注释】

① 知:同"智"。智,仁,勇,是孔子所提倡的三种传统美德。

子曰:"可与共学,未可与适道①;可与适道,未可与立;可与立,未可与权②。'唐棣之华,偏其反而。岂不尔思,室是远而③。'"子曰:"未之思也,夫何远之有?"

【今译】

孔子说:"能够一起学习的人,未必能一起学到'道';能够学到'道'的人,未必能坚定不移地守'道';能够坚守'道'的人,未必能灵活运用,随机应变。古诗说:'唐棣树的花,摇摇摆摆,先开后合。难道我不思念你吗? 你居住的太遥远了。'"孔子[又]说:"这是没有真正思念啊,[如果真在思念]那还有什么遥远不遥远呢?"

【注释】

① 适:往。这里含有达到、学到的意思。 道:指真理。

② 权:本义是秤锤。引申为权衡,随宜而变。

③ "唐棣"四句:古诗。"唐棣(dì 弟)",又作"棠棣","常棣",树木名。生江南山谷中,一名杉,也叫郁李,属蔷薇科,落叶灌木。《诗经·小雅·常棣》有句:"常棣之华,鄂不韡韡。"大意说,常棣树上的花啊,花萼光明,鲜鲜亮亮。其内涵是借棠棣的花与萼相依相托,比喻兄弟的亲密关系与互相友爱。"华",同"花"。"偏其反而",此言唐棣之花在风中翩飞翻舞。"偏",同"翩"。疾飞,随风飘动摇摆。"反",通"翻"。翻动。"而",语助词,没有实际意义。"岂不尔思",即"岂不思尔"。"尔",你。"室",居住之处。此诗出处已不可确考。按诗意推测,作者可能是借唐棣花起兴,表达他希望同情人(或友人)聚合的心情。

孔子以上这段话,阐明了掌握"道"、实行"道"的层次有五:一、能学习"道";二、能把"道"真正学到手;三、能坚守"道";四、能灵活运用"道",以随机应变;五、只要心中常想着"道","道"并不遥远,就在眼前;重要的不在于口头上讲,而在于实际去做。

乡党篇第十

(共二十七章)

主要讲孔子平素的举止言谈，衣食住行，生活习惯。

孔子于乡党①，恂恂如也②，似不能言者。其在宗庙朝廷，便便言③，唯谨尔。

【今译】

孔子在家乡，表现得信实谦卑、温和恭顺，似乎是不善于讲话的人。[但是]在宗庙祭祀、在朝廷会见君臣的场合，他非常善于言谈，辩论详明，只是比较谨慎罢了。

【注释】

① 乡党：指在家乡本地。古代，一万二千五百户为一乡，五百户为一党。

② 恂恂(xún 寻)：信实谦卑，温和恭顺，而又郑重谨慎的样子。

③ 便便(pián 骈)：擅长谈论，善辩。

朝，与下大夫言①，侃侃如也②；与上大夫言，訚訚如也③。君在，踧踖如也④，与与如也⑤。

【今译】

[孔子]在朝廷上，[当君王还未临朝时]与[同级的]下大夫说话，刚直和乐，从容不迫；与[地位尊贵的]上大夫说话，和颜悦色，中正诚恳。君王临朝到来，[孔子]表现出恭敬而又不安，慢

115

步行走而又小心谨慎。

【注释】

① 下大夫：周代，诸侯以下是大夫。大夫的最高一级，称"卿"，即"上大夫"；地位低于上大夫的，称"下大夫"。孔子当时的地位，属下大夫。

② 侃侃(kǎn 砍)：说话时刚直和乐，理直气壮，而又从容不迫。

③ 訚訚(yín 银)：和颜悦色，而能中正诚恳，尽言相诤。

④ 踧踖(cù jí 醋急)：恭敬而又不安的样子。

⑤ 与与：慢步行走，非常小心谨慎的样子。

君召使摈①，色勃如也②，足躩如也③。揖所与立，左右手，衣前后，襜如也④。趋进，翼如也⑤。宾退，必复命曰："宾不顾矣⑥。"

【今译】

[鲁国]国君下令使孔子接待外宾，[孔子]脸色立刻庄重起来，脚步加快起来。[孔子]向同他站在一起的人作揖时，向左向右拱手，衣服前后摆动，都很整齐。他快步向前时，姿态像鸟儿要展翅飞翔。宾客走了以后，一定向国君回报说："宾客已经不回头看了。"

【注释】

① 摈(bìn 鬓)：同"傧"。古代称接引招待宾客的负责官员。这里用作动词，指国君下令，使孔子去接待外宾。

② 勃如：心情兴奋紧张，脸面表现得庄重矜持。

③ 躩(jué 绝)：快步前进，脚旋转而表敬意。

④ 襜(chān 搀)：衣服整齐飘动。

⑤ 翼如：像鸟儿张开翅膀。

⑥ 不顾：不回头看。指客人已走远了。

入公门，鞠躬如也①，如不容。立不中门，行不履阈②。过

116

位③,色勃如也,足躩如也,其言似不足者④。摄齐升堂⑤,鞠躬如也,屏气似不息者⑥。出,降一等⑦,逞颜色⑧,怡怡如也⑨。没阶⑩,趋进,翼如也。复其位,踧踖如也。

【今译】

[孔子]走进诸侯国君的大门,便低头躬身[非常恭敬],好像不容他直着身子进去。站立时不在门的中间,行走时不踩门坎。经过国君的席位时,脸色立刻庄重起来,脚步加快,说话时好像气力不足的样子。提起衣服的下摆向大堂上走的时候,低头躬身[恭敬谨慎],憋住一口气好像停止呼吸一样。出来时,走下一级台阶,才舒展脸色,显出轻松的样子。走完了台阶,快步向前,姿态像鸟儿展翅。回到自己的位置上,还要表现出恭敬而又不安的样子。

【注释】

① 鞠躬:这里指低头躬身恭敬而谨慎的样子。

② 履:走,踩。 阈(yù 玉):门限,门槛。

③ 过位:按照古代礼节,君王上朝与群臣相见时,前殿正中门屏之间的位置是君王所立之位。到议论政事进入内殿时,群臣都要经过前殿君王所立的位子,这时君王并不在,只是一个虚位,但大夫们"过位"时,为了尊重君位,态度仍必须恭敬严肃。

④ 言似不足:说话时声音低微,好像气力不足的样子。一说,同朝者要尽量少说话,不得不应对时,也要答而不详,言似不足。这都是为了表示恭敬。

⑤ 摄齐:"摄",提起,抠起。"齐(zī 资)",衣服的下襟,下摆,下缝。朝臣升堂时,一般要双手提起官服的下襟,离地一尺左右,以恐前后踩着衣襟或倾跌失礼。

⑥ 屏气:"屏(bǐng 丙)",抑制,强忍住。屏气,就是憋住一口气。息:呼吸。

⑦ 降一等:从台阶走下一级。

⑧　逞颜色：这里指舒展开脸色，放松一口气。"逞"，快意，称心，放纵。

⑨　怡怡如：轻松愉快的样子。

⑩　没阶：指走完了台阶。"没(mò墨)"，尽，终。

执圭①，鞠躬如也，如不胜②。上如揖，下如授。勃如战色，足蹜蹜③，如有循④。享礼⑤，有容色。私觌⑥，愉愉如也⑦。

【今译】

[孔子出使到别的诸侯国去]举着圭，低头躬身[非常恭敬]，好像举不动的样子。向上举好像作揖，放下来好像递东西给别人。脸色庄重而昂奋，好像战战兢兢；步子迈得又小又快，好像沿着一条直线往前走。在赠送礼品的仪式上，显出和颜悦色。[以个人身份]私下会见时，满脸笑容。

【注释】

①　圭(guī归)：一种上圆下方的长条形玉器。举行朝聘、祭祀、丧葬等礼仪大典时，帝王、诸侯、大夫手里都要拿着这种玉器。依不同的地位身份，所拿的圭也各有不同。这里指大夫出使到别的诸侯国去，手里拿着代表本国君主的圭，作为信物。

②　不胜：担当不起，承受不住，几乎不能做到。

③　蹜蹜(sù素)：形容脚步细碎紧密，一种小步快走的样子。

④　循：顺着，沿着。

⑤　享礼：向对方贡献礼品的仪式。"享"，献。

⑥　觌(dí笛)：见面，会见，以礼相见。

⑦　愉愉：快乐，心情舒畅，露出笑容。

君子不以绀緅饰①，红紫不以为亵服②。当暑，袗絺绤③，必表而出之④。缁衣⑤，羔裘⑥；素衣⑦，麑裘⑧；黄衣，狐裘。亵裘长，短右袂⑨。必有寝衣，长一身有半。狐貉之厚以居⑩。去丧,无所不佩。非帷裳⑪,必杀之⑫。羔裘玄冠不以吊⑬。吉月⑭,必朝服而朝。

【今译】

君子不用深青透红或黑中透红的布做镶边,不用红色或紫色的布做平日在家穿的便服。在夏天,穿粗麻或细麻布做的单衣,但一定要套在外面。[冬天]黑色罩衣,配黑羊羔皮袍;白色罩衣,配白鹿皮袍;黄色罩衣,配狐狸皮袍。平常在家穿的皮袍,要做得长一些,右边的袖子短一些。必须有睡衣,要一身半长。要用毛长的狐貉皮制作坐垫。[服丧期满]脱去丧服,可以佩戴各种装饰品。如果不是礼服,必须加以剪裁,去掉多馀的布。不要穿黑羊羔皮袍戴黑色礼帽去吊丧。每月的初一,一定要穿朝服去上朝。

【注释】

①　绀(gàn 赣):深青透红(带红)的颜色(一说,天青色)。是古时斋戒服装所用的颜色。　緅(zōu 邹):黑中透红的颜色(一说,铁灰色)。是古时丧服所用的颜色。　饰:服装上的装饰。这里指衣服领子、袖子上的镶边等。

②　亵(xiè 谢)服:平常在家穿的私服、便服。贴身穿的内衣也称亵服。因为红紫色是制做礼服的庄重的颜色,所以,亵服不能用红紫色。

③　袗绨绤:"袗(zhěn 诊)",单衣。"绨(chī 吃)",细麻布,葛布。"绤(xì 细)",粗麻布。袗绨绤,指穿细麻布或粗麻布做的单衣。

④　"必表"句:一定把麻布单衣穿在外表,而里面还要衬上内衣。一说,"表",是上衣,是套在外表的衣服。古人不论冬夏,出门时都要外加上衣。

⑤　缁(zī 兹):黑色。

⑥　羔裘:黑色羊羔皮做的皮袍。

⑦　素:白色。

⑧　麑裘:指用小鹿皮做的皮袍。"麑(ní 尼)",白色幼鹿。

119

⑨　短右袂:指右手的袖子做得短一些,便于做事。"袂(mèi 妹)",袖子。

⑩　"狐貉"句:用厚毛的狐貉皮制做成坐垫。"以",用。"居",坐。

⑪　帷裳:朝拜和祭祀时穿的礼服。古时规定,要用整幅的布来做礼服,多馀的布不裁掉,而要折叠起来缝上。

⑫　杀:消除。这里指剪裁掉。如果不是制做礼服,必须加以剪裁,去掉多馀的布。

⑬　玄冠:黑色的礼帽。

⑭　吉月:阴历每月的初一。也称作朔月。一说,只指每年正月岁首。

　　齐①,必有明衣②,布。齐必变食③,居必迁坐④。

【今译】

斋戒时,一定要有洗澡后换穿的干净内衣,要用布做的。斋戒时,一定要改变饮食,住处一定要从卧室迁出。

【注释】

①　齐:同"斋"。斋戒。

②　明衣:指斋戒期间沐浴后所换穿的贴身衣服。

③　变食:改变平常的饮食。特指不饮酒,不吃荤,不吃葱蒜韭等有异味的东西。

④　居必迁坐:指斋戒时的住处,要从内室(平时的卧室)迁到外室,不与妻妾同房。

　　食不厌精①,脍不厌细②。食饐而餲③,鱼馁而肉败④,不食。色恶,不食。臭恶,不食。失饪⑤,不食。不时⑥,不食。割不正,不食。不得其酱,不食。肉虽多,不使胜食气⑦。唯酒无量,不及乱⑧。沽酒市脯⑨,不食。不撤姜食。不多食⑩。

【今译】

饭食不嫌做得精，鱼肉不嫌切得细。粮食陈旧变味了，鱼不新鲜了，肉腐烂了，不吃。食物的颜色变坏了，不吃。气味不好闻了，不吃。烹煮的不得当，不吃。不到该吃的时候，不吃。不按一定方法宰割的肉，不吃。酱、醋作料放得不适当，不吃。肉虽然多，[吃时]不要超过主食的数量。唯独酒无限量，但不能喝到昏醉的程度。买来的酒和市上的熟肉干，不吃。不去掉姜。不要多吃。

【注释】

① 不厌：不厌烦，不排斥，不以为不对。

② 脍(kuài 快)：细切的鱼肉。

③ 饐(yì 义)：食物长久存放，陈旧了，霉烂变质了。　餲(ài 艾)：食物放久变了味，馊了。

④ 馁(něi 内上声)：鱼类不新鲜了，腐烂了。　败：肉类不新鲜了，腐烂了。

⑤ 饪(rèn 任)：烹调，煮熟。

⑥ 不时：不到该吃的时候。指吃饭要定时。一说，不吃过了时的、不新鲜的蔬菜。另说，不到成熟期的粮食、果、菜，不能吃，吃了会伤人。

⑦ 气：同"饩(xì 戏)"。粮食。

⑧ 不及乱：不到喝醉而神智昏乱的地步。

⑨ 脯(fǔ 府)：熟肉干，干肉。

⑩ 不多食：不多吃，不要吃得过饱而伤肠胃。另说，与"不撤姜食"相连，指每餐都要吃点姜，但也不要多吃姜。

祭于公①，不宿肉②。祭肉不出三日③。出三日不食之矣。

【今译】

参加国君祭祀典礼分到的肉，不能过夜。[平常]祭祀用过的肉不能超过三天。超过了三天就不吃它了。

【注释】

① 祭于公:指士大夫等参加国君举行的祭祀典礼。

② 不宿肉:"肉",指"胙肉",祭祀所用的肉。胙肉一般由祭祀当天清晨特意宰杀的牲畜肉充任,到第二天祭礼完全结束后再分赐给助祭者。故这种胙肉拿回家已是宰杀后的两三天了,不宜再放过夜。

③ 祭肉:指自家祭祀所用的肉。

食不语,寝不言。

【今译】

吃饭时不交谈,睡觉时不说话。

虽疏食菜羹①,必祭②,必齐如也。

【今译】

虽然是吃粗米饭蔬菜汤,也一定先要祭一祭,一定要像斋戒时那样恭敬严肃。

【注释】

① 疏食:粗食,吃蔬菜和谷米类。　　羹(gēng 庚):浓汤。

② 必:底本作"瓜",据《鲁论语》改。　　祭:指吃饭前把席上的各种饭菜分别拿出一点,另摆在食器之间,以祭祀远古发明饮食的祖先,表示不忘本。一说,即指一般的祭祖先或祭鬼神。

席不正①,不坐。

【今译】

席子摆放不端正,不要坐。

【注释】

① 席:坐席。古代没有椅子凳子,在地上铺上席子以为坐具。

乡人饮酒①,杖者出②,斯出矣。

【今译】

在举行乡饮酒礼后,要等老年人先走出去,自己才出去。

【注释】

① 乡人饮酒:指举行乡饮酒礼。乡饮酒礼是周代仪礼的一种,可参看《仪礼·乡饮酒礼》及《礼记·乡饮酒义》。

② 杖者:拄拐杖的人,即老年人。我国古代素有尊老敬老的传统美德。周礼讲:"五十杖于家,六十杖于乡,七十杖于国,八十杖于朝。九十者,天子欲有问焉,则就其家。"对九十岁的老人,连天子有事要问,也要到老人的家里去。

乡人傩①,朝服而立于阼阶②。

【今译】

本乡的人们举行迎神赛会驱疫逐鬼仪式时,[孔子]总是穿着朝服站立在东面的台阶上。

【注释】

① 傩(nuó 挪):古代在腊月里举行的迎神赛会、驱疫逐鬼的一种仪式。主持者头戴面具,蒙熊皮,穿黑衣,执戈,扬盾,率百隶及童子,敲着鼓,跳着舞,表演驱疫捉鬼的内容。

② 阼(zuò 作):大堂前面靠东面的台阶。这里是主人站立以欢迎客人的地方。

问人于他邦①,再拜而送之。

【今译】

[孔子]托别人代为问候在其他诸侯国的朋友时,要躬身下拜,拜两次,送走所托的人。

【注释】

① 问:问候,问好。这里指托别人代为致意。

康子馈药①,拜而受之。曰:"丘未达②,不敢尝。"

【今译】

季康子赠药,[孔子]拜谢而接受了。并说:"我对药性不了解,不敢尝。"

【注释】

① 康子:即季康子。参阅《为政篇第二》第二十章。 馈(kuì 愧):赠送。按当时的礼节,接受别人送的药,要当面尝一尝。

② 达:了解,通达事理。

厩焚①。子退朝,曰:"伤人乎?"不问马。

【今译】

马棚失火焚毁了。孔子从朝廷回来,问:"伤人了吗?"却不问马。

【注释】

① 厩(jiù 旧):马棚,马房。后也泛指牲口房。

君赐食,必正席先尝之。君赐腥①,必熟而荐之②。君赐生,必畜之。侍食于君,君祭,先饭。

【今译】

国君赐给食物,[孔子]一定摆正坐席,先尝一尝。国君赐给生肉,一定煮熟了先供奉祖先。国君赐给活的牲畜,一定把它饲养起来。陪同国君一起吃饭,当国君饭前行祭礼时,自己先吃饭[不吃菜]。

【注释】

① 腥:生肉。

② 荐:供奉,进献。这里指煮熟了肉先放在祖先灵位前上供,表示进奉。本章所述各种作法,都是表示敬意。

疾,君视之①,东首②,加朝服,拖绅③。

【今译】

[孔子]患病,国君来看望,他[躺在床上]头朝东,把朝服加盖在身上,拖着大束带。

【注释】

① 视:探视,看望。

② 东首:指头朝东。

③ 绅(shēn 身):朝服的束在腰间的大宽带子。孔子因病卧床,不能穿朝服束腰,故把朝服加盖在身上,把"绅"放在朝服上,拖下带子去,表示对国君的尊敬与迎接。

君命召,不俟驾行矣①。

【今译】

国君命令召见,[孔子]不等马车驾好,就先步行走了。

【注释】

① 俟(sì 四):等待。 驾:套上马拉车。

入太庙,每事问①。

【今译】

[孔子]进入太庙[助祭],对每件事都[向主事人仔细]询问。

【注释】

① 此章与《八佾篇第三》第十五章文字相似,可参阅。

朋友死,无所归①,曰:"于我殡。"

【今译】

朋友死了,没有人来料理后事。[孔子]说:"由我来负责安葬。"

① 归:归宿。这里指后事的安排,如装殓,发丧,埋葬等。

朋友之馈,虽车马,非祭肉①,不拜。
【今译】

接受朋友赠送的礼物,即使是车马[那样贵重的东西],如果不是祭肉,[孔子]也不躬身下拜。
【注释】

① 祭肉:指祭祀祖先用的胙肉。为了表示对朋友的祖先像对自己的祖先那样尊敬,在接受祭肉时要拜。

寝不尸①,居不客②。
【今译】

[孔子]睡觉时不是像死尸那样直挺挺的躺着,平日在家坐着,也不像做客或接待客人那样。
【注释】

① 尸:死尸。这里指像死尸一样展开手足仰卧。

② 居:坐。 客:宾客。这里用作动词,指像做客或接待客人那样郑重地坐着——两膝平跪,挺直腰板。这是一种比较费力的姿势。这一句,有的版本是"居不容"。意思则成为:平日居家可以随便一点,不必像祭祀或接待宾客时那样拘谨,使自己的容貌仪态十分郑重严肃。

见齐衰者①,虽狎②,必变。见冕者与瞽者③,虽亵④,必以貌。凶服者⑤,式之⑥。式负版者⑦。有盛馔⑧,必变色而作⑨。迅雷风烈必变。
【今译】

[孔子]见到穿孝服的人,即使是关系亲密,也一定要把态度

变得严肃起来。见到穿官服的和盲人，即使是平日常在一起的
熟人或卑贱的人，也一定要对他很有礼貌。[乘车时途中]遇上
穿丧服或送死人衣物的人，便俯下身去伏在车前的横木上。遇
上背着国家的户籍册疆域图的人，也要伏在车前的横木上。[做
客时]遇有丰盛的筵席，一定把态度变得庄重，并且站起身来。
遇上迅急的雷电和猛烈的大风，一定要把神态变得庄严。

【注释】

① 齐衰(zī cuī 兹崔)：孝服。参见《子罕篇第九》第十章。

② 狎(xiá 侠)：亲近，亲密。

③ 冕者：穿礼服、官服的人。 瞽者：盲人。

④ 亵(xiè 谢)：亲近。这里指平日里常见面的、熟悉的人，或卑贱的
人。

⑤ 凶服：丧服，也指死人的衣物。

⑥ 式：同"轼"，车前做扶手用的横木。这里指身子向前微俯，伏在
横木上，表示同情或尊敬。这是当时社会上的一种礼节。

⑦ 负：背负。 版：指国家的图籍(疆域地图，田亩、户口名册等)。

⑧ 盛馔：指盛大丰足的筵席。"馔(zhuàn 赚)"，饮食。

⑨ 作：起立，站起身来。

升车，必正立，执绥①。车中，不内顾，不疾言，不亲指②。

【今译】

[孔子]上车时，一定先站正了身子，拉住扶手上的索带[然
后登车]。在车上，不向车内回头看，不急促地高声说话，不举起
自己的手指指划划。

【注释】

① 绥(suí 随)：古代车上设置的拉着上车的绳索。

② 不亲指：不举起自己的手指指划划。这里说的"不内顾，不疾言，
不亲指"，都是为了集中精力驾好车，防止自己的容态失礼或使别人产生

疑惑。

色斯举矣①。翔而后集。曰:"山梁雌雉②,时哉时哉③!"子路共之④,三嗅而作⑤。

【今译】

[孔子看到]一群野鸡飞起来而神色动了一下。[这群野鸡]飞翔了一阵之后,停落在树上。[孔子]说:"山梁上的雌野鸡,时运真好呀,时运真好呀!"子路[听了这话]向野鸡拱了拱手,野鸡长叫了几声,飞走了。

【注释】

① 色斯举矣:"色",脸色。"举",鸟飞起来。这句话的文字可能有错漏之处。按后面的文字来推测,可能是说:孔子在山谷中行走,看见一群山鸡在自由飞翔,心有感触,神色动了一下。

② 雉(zhì至):野鸡。

③ 时哉:犹言得其时,时运正好。孔子见野鸡能自由飞翔下落,自己反没有实现政治抱负的自由,故有此叹。

④ 共:同"拱"。拱手,抱拳致敬、致意。

⑤ 三嗅:"嗅",唐代石经《论语》作"戛(jiá 颊)"。"戛",是鸟的长叫声。三嗅,指野鸡长叫了几声。一说,"嗅",当作"臭(jù 巨)",鸟类张开两翅的样子。 作:飞起来。对这一章文字的理解诠释,历来众说纷纭。有的理解为:几只野鸡看到走过来的人脸色不善(以为要射猎它),而飞起来了;飞翔了一阵,而后集中落在树上。孔子感慨地说:"山中的雌野鸡能遇险而飞,识时务呀,识时务呀!"子路听了这话,向野鸡拱了拱手表示敬意,野鸡又受了惊,拍打了几下翅膀而飞走了。可参。

先进篇第十一

主要讲孔子对弟子贤否的评论。

子曰:"先进于礼乐①,野人也②;后进于礼乐,君子也③。如用之,则吾从先进。"

【今译】

孔子说:"先学习礼乐〔而后做官〕的人,是在野的人;〔先做官〕而后学习礼乐的人,是卿大夫的子弟。如果要选用人才,我将选用先学习礼乐的人。"

【注释】

① "先进"句:指先在学习礼乐方面有所进益,先掌握了礼乐方面的知识。"后进"反之。

② 野人:这里指庶民,没有爵禄的平民。与世袭贵族相对。

③ 君子:这里指有爵禄的贵族,世卿子弟。

子曰:"从我于陈、蔡者①,皆不及门也②。"

【今译】

孔子说:"曾经随从我在陈国、蔡国的弟子们,现在都不在我的门下了。"

【注释】

① "从我"句:公元前489年(鲁哀公四年,当时孔子六十一岁),孔

子周游列国,率领弟子们从陈国去蔡国。途中,楚国派人来聘请孔子,孔子将往楚国拜礼。陈、蔡大夫怕与己不利,便派徒役在郊野围困孔子。孔子和弟子们断粮七天,许多人饿得不能行走。后由子贡去楚国告急,楚昭王派兵前来迎孔子,才获解救。当时随从孔子的弟子有子路、子贡、颜回等。公元前484年,孔子返回鲁国后,子路、子贡等先后离开,有的做了官,有的回老家,颜回也病死了。孔子时常思念那些在艰危中跟随他的弟子们。

② 不及门:"门",指学习、受教育的场所。"及",在,到。不及门,指到不了、不在他的门下受教育。一说,是"不及仕进(卿大夫)之门","孔子弟子无仕陈蔡者"。

德行①:颜渊,闵子骞,冉伯牛,仲弓。言语②:宰我,子贡。政事③:冉有,季路。文学④:子游,子夏。

【今译】

论德行,[弟子中优秀的有:]颜渊,闵子骞,冉伯牛,仲弓。论言语,[弟子中擅长的有:]宰我,子贡。论政事,[弟子中能干的有:]冉有,季路。论文学,[弟子中出色的有:]子游,子夏。

【注释】

① 德行:指能实行忠恕仁爱孝悌的道德。

② 言语:指长于应对辞令、办理外交。

③ 政事:指管理国家,从事政务。

④ 文学:指通晓西周文献典籍。

子曰:"回也非助我者也,于吾言无所不说①。"

【今译】

孔子说:"颜回啊,不是能帮助我的人,[他]对我所说的话,没有不心悦诚服的。"

【注释】

① 说:同"悦"。这里是说颜渊对孔子的话从来不提出疑问或反驳。

子曰:"孝哉闵子骞①! 人不间于其父母昆弟之言②。"

【今译】

孔子说:"真孝顺啊,闵子骞! 人们听了他的父母兄弟〔称赞他孝〕的话,也找不出什么可挑剔的地方。"

【注释】

① 闵子骞:当时有名的孝子,被奉为尽孝的典范。他的孝行事迹被后人编入《二十四孝》。参阅《雍也篇第六》第九章。

② 间:挑剔,找毛病。 昆:兄。

南容三复"白圭"①,孔子以其兄之子妻之②。

【今译】

南容反复诵读关于"白圭"的诗句,孔子便把哥哥的孩子嫁给了他。

【注释】

① 南容:即南宫适。参阅《公冶长篇第五》第二章注。 三复:多次重复。"三"是虚数,指在一日之内多次诵读。 白圭:指《诗经·大雅·抑》篇。其中有云:"白圭之玷,尚可磨也(白圭上的斑点污点,还可以磨掉);斯言之玷,不可为也(言语中的错误,不能收回不能挽救了)。"意思指:说话一定要小心谨慎。

② 妻:作动词用。以女嫁人。

季康子问:"弟子孰为好学?"孔子对曰:"有颜回者好学,不幸短命死矣,今也则亡①。"

【今译】

季康子问:"〔你的〕弟子中谁是爱好学习的呢?"孔子回答:"有一个叫颜回的,很好学,但不幸短命死了,如今便没有好学的了。"

【注释】

①　亡:同"无"。本章文字与《雍也篇第六》第三章略同,可参阅。

颜渊死,颜路请子之车以为之椁①。子曰:"才、不才,亦各言其子也。鲤也死②,有棺而无椁。吾不徒行以为之椁。以吾从大夫之后③,不可徒行也。"

【今译】

颜渊死了,颜路请求孔子卖了车给颜渊买个椁。孔子说:"〔虽然你的儿子颜渊和我的儿子孔鲤〕一个有才、一个无才,但对各人说来都是自己的儿子啊。孔鲤死了,只有棺而没有椁。我不能〔卖掉车〕步行,来给他买椁。因为我过去当过大夫,是不可以步行的。"

【注释】

①　颜路:姓颜,名无繇(yóu 由),字路。娶齐姜氏,生子颜回(颜渊)。颜路是孔子早年在故乡阙里教学时所收的第一批弟子,比孔子小六岁。生于公元前 545 年,卒年不详。　椁(guǒ 果):古代有地位的人,棺材有两层:内层直接装殓尸体,叫"棺",有底;外面还套着一层套棺,叫"椁",无底。合称"棺椁"。

②　鲤:孔鲤,孔子的儿子。孔子十九岁,娶宋国人亓官氏,生子伯鱼。生伯鱼时,鲁昭公以鲤鱼赐孔子,因此给儿子起名叫孔鲤。孔鲤五十岁死,时孔子七十岁。

③　从大夫之后:跟从在大夫们的后面。是自己曾是大夫(孔子任鲁国司寇,是主管治安与司法的行政长官)的谦虚的表达方法。按礼大夫出门要坐车,否则为失礼。

颜渊死。子曰:"噫! 天丧予①! 天丧予!"

【今译】

颜渊死了。孔子说:"咳呀! 天要丧我的命呀! 天要丧我的命呀!

【注释】

① 天丧予:"丧",亡,使……灭亡。孔子这句话的意思是,颜渊一死,他宣扬的儒道就无人继承,无人可传了。

颜渊死,子哭之恸①。从者曰:"子恸矣!"曰:"有恸乎? 非夫人之为恸而谁为②?"

【今译】

颜渊死了,孔子哭得很哀痛。随从的人说:"夫子您太哀痛了!"孔子说:"是太哀痛了吗? 不为这样的人哀痛还为谁呢?"

【注释】

① 恸(tòng痛):极度哀痛,悲伤。

② "非夫人"句:即"非为夫人恸而为谁"的倒装。"夫",指示代词,代指死者颜渊。"之"是虚词,在语法上只起到帮助倒装的作用。

颜渊死,门人欲厚葬之,子曰:"不可。"门人厚葬之。子曰:"回也视予犹父也,予不得视犹子也①。非我也,夫二三子也。"

【今译】

颜渊死了,弟子们想隆重丰厚地安葬他。孔子说:"不可以。"弟子们仍是隆重丰厚地安葬了颜渊。孔子说:"颜回啊,看待我如同父亲,我却不能看待他如同儿子。不是我〔主张厚葬〕啊,是那些弟子们呀。"

【注释】

① "予不得"句:意谓我不能像对待亲生儿子那样按礼来安葬颜渊。孔子认为办理丧葬应"称家之有亡(无)",当时颜渊家贫,办丧事铺张奢侈,与礼不合;同时,按颜渊的身份与地位,也是不应该厚葬的。

季路问事鬼神①。子曰："未能事人,焉能事鬼?"曰："敢问死。"曰："未知生,焉知死?"

【今译】

子路问怎样事奉鬼神。孔子说："没能把人事奉好,哪能谈事奉鬼呢?"〔子路又〕说："我大胆地请问,死是怎么回事?"〔孔子〕说："还不知道人生的道理,怎能知道死呢?"

【注释】

① 季路:即子路。因仕于季氏,又称季路。参阅《为政篇第二》第十七章注。

闵子侍侧①,訚訚如也②;子路,行行如也③;冉有、子贡,侃侃如也。子乐。"若由也④,不得其死然⑤。"

【今译】

闵子侍立在孔子身边,表现出正直而恭顺的样子;子路,很刚强的样子;冉有、子贡,和乐而理直气壮的样子。孔子很高兴。〔但又担心说:〕"像仲由这样〔过于勇猛刚强〕,恐怕得不到善终哩。"

【注释】

① 闵子:即闵子骞。后人敬称"子"。
② 訚訚(yín 银):和悦而能中正直言。
③ 行行(hàng 沆):形容性格刚强勇猛。
④ 由:仲由,字子路。
⑤ "不得"句:指得不到善终,不能正常地因衰老而死。孔子虑子路过于刚勇,好斗取祸而危及生命。后来,子路果猝死于卫国的孔悝(kuī 亏)之乱。"然",语气词。

鲁人为长府①。闵子骞曰："仍旧贯,如之何? 何必改作?"子曰："夫人不言②,言必有中③。"

【今译】

鲁国的执政者要改建国库长府。闵子骞说:"仍旧沿袭老样子,如何? 何必改建呢?"孔子说:"这个人不说则已,一说就说得正确。"

【注释】

① 鲁人:指鲁国的当权者季氏。 为:制造。在这里是改建、翻修的意思。 长府:鲁国国库名。一说宫室名。

② 夫人:这个人。指闵子骞。

③ 中(zhòng 众):这里指说的话能正中要害,说到点子上。

子曰:"由之瑟奚为于丘之门①!"门人不敬子路。子曰:"由也升堂矣,未入于室也②。"

【今译】

孔子说:"仲由弹瑟为什么在我这里弹呢?"弟子们〔因此〕不尊敬子路。孔子说:"仲由啊,在学习上已经达到'升堂'的程度了,但是还没做到'入室'。"

【注释】

① "由之瑟"句:"瑟",古代一种拨弦乐,二十五弦(一说五十弦)。"为",做,弹瑟。"丘之门",我(孔丘)这里。据《说苑·修文篇》,孔子对子路弹瑟表示不满,是因为子路性情刚猛,中和不足,故弹出的音调过于激越,"有杀伐之声"。

② 升堂、入室:"堂",正厅。"室",内室。从入门,到升堂,再到入室。孔子用此来比喻在学习上由浅入深的三个阶段:从入门初步掌握;到高明一些,达到一定水平;再到精微深奥的高妙境地。

子贡问:"师与商也孰贤①?"子曰:"师也过,商也不及。"曰:"然则师愈与②?"子曰:"过犹不及③。"

【今译】

子贡问:"颛孙师和卜商谁好一些?"孔子说:"师过分,商不够。"〔子贡〕说:"那么是师〔比较〕好一些吗?"孔子说:"做过分了和做得不够,是同样的。"

【注释】

① 师:即子张。才高意旷,做事常有过分之处。参阅《为政篇第二》第十八章注。 商:即子夏。拘谨保守,做事常有不及之处。参阅《学而篇第一》第七章注。 孰:谁。

② 愈:胜过,更好些,强一些。 与:同"欤"。语气助词,表疑问。

③ 犹:似,如,如同。

季氏富于周公①,而求也为之聚敛而附益之②。子曰:"非吾徒也,小子鸣鼓而攻之可也。"

【今译】

季氏比周朝的公卿还富,而冉求还要为季氏聚敛更增加他的财富。孔子说:"〔冉求〕不算是我的门徒了,你们敲着鼓去攻击他好了。"

【注释】

① 周公:周天子左右的公卿。如当时有周公黑肩、周公阅等人。鲁国之君,本是周公旦的后代,故用此比喻。

② "而求也"句:"求",冉求。"也",助词,用于句中,表示停顿,以引起下文。"之",代指季氏。"聚敛(liǎn 脸)",聚积,收集,搜刮钱财。"而附益之",而使季氏更增加了财富。鲁国本按"丘"(古代田地、区域的划分单位,四"邑"为一"丘")征收军赋。公元前 483 年(鲁哀公十二年),季康子改为按每一户的田亩数来征收,这就大大增加了赋税收入。冉求为季氏家臣,曾参与其事。孔子主张"敛从其薄",是反对季氏、冉求这种过分剥削人民的做法的。

柴也愚①,参也鲁②,师也辟③,由也喭④。

【今译】

高柴愚笨,曾参迟钝,颛孙师偏激,仲由莽撞。

【注释】

① 柴:姓高,名柴,字子羔。齐国人,身材很矮,为人笃孝。孔子的弟子。比孔子小三十岁,生于公元前 521 年,卒年不详。高柴老实、忠厚,正直,但明智变通不足,故孔子说他"愚"。

② 参也鲁:"参",曾参。曾参诚恳,信实,学习扎实深入,但反应有些迟钝,不够聪敏,故孔子说他"鲁"。

③ 师也辟:"师",颛孙师。"辟",通"僻",邪僻,偏激。颛孙师志向高,好夸张,习于容仪,但诚实不足,故孔子说他"辟"。

④ 由也喭:"由",仲由。"喭(yàn 燕)",粗鲁,莽撞。仲由勇猛刚烈,但失于粗俗而文雅不足,故孔子说他"喭"。

子曰:"回也其庶乎①,屡空②。赐不受命,而货殖焉③,亿则屡中④。"

【今译】

孔子说:"颜回嘛,差不多了吧,可是常常穷困。端木赐不接受命运安排,去做买卖,猜测〔市场行情〕却常常能猜中。"

【注释】

① 庶:庶几,差不多。含有称赞之意。这里指颜回学问、道德都好。

② 空:指贫乏,困穷,穷得没办法。孔子曾说颜回:"一箪食,一瓢饮,在陋巷,人不堪其忧,回也不改其乐。"(见《雍也篇第六》第十一章)

③ 货殖:做买卖,经商。

④ 亿:同"臆"。估计,猜测。

子张问善人之道①。子曰:"不践迹,亦不入于室②。"

【今译】

子张请问做善人的道理。孔子说:"如果不踩着前人的脚迹走,〔学问、修养〕也就不能'入室'。"

【注释】

① 善人:孔子认为,"善人"只是"质美(本质好)""欲仁",所谓凭良心为善。然而,这是不够的。如果"善人"不循着前人(足可效法的先王圣贤)的脚步走,不通过学习去锻炼修养自己,也就达不到"入室"的高标准。

② 入于室:参见本篇第十五章注。

子曰:"论笃是与①,君子者乎? 色庄者乎②?"

【今译】

孔子说:"〔人们〕赞许言论诚恳笃实的人,〔但要注意区分〕是君子呢? 还是神色伪装庄重的人呢?"

【注释】

① 论笃是与:等于"与论笃"。"论笃",言论诚恳笃实的人。"与",赞许。"是"无实义,起帮助"论笃"这一宾语提前的语法作用。

② 色庄:神色庄重。这里指做出一副庄重的样子。

子路问:"闻斯行诸①?"子曰:"有父兄在,如之何其闻斯行之?"冉有问:"闻斯行诸?"子曰:"闻斯行之。"公西华曰:"由也问'闻斯行诸',子曰'有父兄在';求也问'闻斯行诸'②,子曰'闻斯行之'。赤也惑③,敢问。"子曰:"求也退,故进之;由也兼人④,故退之。"

【今译】

子路问:"听到了道理就马上行动吗?"孔子说:"有父兄在,如何能〔不请示父兄〕马上行动呢?"冉有问:"听到了道理就马上行动吗?"孔子说:"听到了就马上行动。"公西华〔问孔子〕说:"仲由问'听到了就马上行动吗',您说'有父兄在';冉求问'听到了就马上行动吗',您却说'听到了就马上行动'。这使我迷惑,所以大胆地问问〔为何回答不同〕。"孔子说:"冉求做事畏缩不前,所以要鼓励他大胆前进一步;仲由一个人能顶两个人,所以要抑制约束他慎重地退后一步。"

【注释】

① 斯:代词。这里代指道理,义理,应该做的事。 诸:"之乎"二字合音。

② 求:即冉有。名求,字子有,也称冉有。

③ 赤:即公西华。名赤,字子华,也称公西华。

④ 兼人:指刚勇,敢作敢为,一个人能顶两个人。

子畏于匡①,颜渊后。子曰:"吾以女为死矣。"曰:"子在,回何敢死!"

【今译】

孔子在匡地受到围困拘禁,颜渊〔失落,〕最后才逃出来。孔子〔惊喜地〕说:"我以为你死了呢。"〔颜渊〕说:"夫子您还健在,我怎么敢死呢?"

【注释】

① 畏:畏惧,有戒心。指孔子在匡地被人误以为是阳虎而受到围困。

季子然问①:"仲由、冉求可谓大臣与?"子曰:"吾以子为异之问②,曾由与求之问③。所谓大臣者,以道事君,不可则止。今由与求也,可谓具臣矣④。"曰:"然则从之者与?"子曰:"弑父与君,亦不从也。"

【今译】

季子然问:"仲由、冉求可以说是大臣吗?"孔子说:"我以为您是问的别人,原来是问仲由和冉求啊。所谓大臣,是能够用正

139

道事奉君主的,如果不能这样,就宁可辞职不干。现在仲由和冉
求,只可以说是具备做大臣的才能。"〔季子然〕说:"那么〔他们〕
做什么事都跟从〔季氏〕吗?"孔子说:"杀父亲、杀君主〔那种事〕,
也是不会跟从的。"

【注释】

① 季子然:姓季孙,名平子,字子然,乃季孙意如之子。鲁国季氏的
同族人。因为季氏任用子路、冉有为臣,所以,季子然向孔子提出了这一
问题。

② 子:先生。尊称对方。 为异之问:问的别的人。"异",不同的,
其他的。

③ 曾:乃,原来是。

④ 具臣:有做官的才能。"具",才具,才能。

子路使子羔为费宰①。子曰:"贼夫人之子②。"子路曰:"有
民人焉,有社稷焉③,何必读书然后为学?"子曰:"是故恶夫佞
者④。"

【今译】

子路让子羔去费地任行政长官。孔子说:"这是害了人家的
孩子。"子路说:"那地方有人民,有社稷,何必非读书才算是学习
呢?"孔子说:"所以我讨厌巧言狡辩的人。"

【注释】

① 子羔:高柴,字子羔。孔子弟子。比孔子小三十岁。

② 贼:害,毁坏,坑害。孔子认为子羔年轻,学业未成,让他从政,无
异于害他。

③ 社稷:"社",土地神。"稷(jì 记)",谷神。古代说"社稷",指祭祀
土地神和谷神。后来又把"社稷"作为国家政权的象征。

④ 恶(wù 务):讨厌。 佞(nìng 泞):巧言,谄媚。

子路、曾皙、冉有、公西华侍坐①。子曰："以吾一日长乎尔，毋吾以也②。居则曰③：'不吾知也！'如或知尔，则何以哉？"子路率尔而对曰④："千乘之国⑤，摄乎大国之间⑥，加之以师旅⑦，因之以饥馑⑧，由也为之，比及三年⑨，可使有勇，且知方也⑩。"夫子哂之⑪。"求！尔何如？"对曰："方六七十，如五六十，求也为之，比及三年，可使足民。如其礼乐，以俟君子⑫。""赤⑬，尔何如？"对曰："非曰能之，愿学焉。宗庙之事，如会同⑭，端章甫⑮，愿为小相焉⑯。""点，尔何如？"鼓瑟希⑰，铿尔⑱，舍瑟而作⑲，对曰："异乎三子者之撰⑳。"子曰："何伤乎㉑？亦各言其志也。"曰："莫春者㉒，春服既成㉓，冠者五六人㉔，童子六七人，浴乎沂㉕，风乎舞雩㉖，咏而归。"夫子喟然叹曰："吾与点也！"三子者出，曾皙后。曾皙曰："夫三子者之言何如？"子曰："亦各言其志也已矣。"曰："夫子何哂由也？"曰："为国以礼，其言不让，是故哂之。""唯求则非邦也与㉗？""安见方六七十如五六十而非邦也者？""唯赤则非邦也与？""宗庙会同，非诸侯而何，赤也为之小，孰能为之大？"

【今译】

子路、曾皙、冉有、公西华，陪奉孔子闲坐着。孔子说："因我比你们年长一些，不要因为我而拘束。〔你们〕平时常说：'人家不了解我啊！'假如有人了解你们〔要任用你们〕，那么〔你们〕打算怎样做呢？"子路轻率直爽急忙回答说："一个拥有一千辆兵车的国家，夹在大国之间，受别国军队的侵犯，又遇上凶年饥荒，让我去治理，只要三年，就可以使人民勇敢，而且知道遵守礼义。"孔子微笑了一下。〔孔子又问：〕"冉求，你如何呢？"〔冉求〕回答说："一个纵横六七十里，或者五六十里的小国，让我去治理，只要三年，就可以使人民富足。至于礼乐教化方面，那要等待君子去实行了。"〔孔子又问：〕"公西赤，你如何呢？"〔公西赤〕回答说：

"不敢说我能够做到些什么,而是很愿意学习啊。在宗庙祭祀的事务上,或者与别的国家的盟会中,我穿上礼服,戴上礼帽,愿意做一个小小的赞礼人。"〔孔子又问:〕"曾点,你如何呢?"〔曾点正在〕弹瑟,声音稀疏,铿的一声停了,放下瑟,站起身来。回答说:"〔我的志向〕不同于他们三位的陈述。"孔子说:"那又有什么妨碍呢?也就是各人谈谈自己的志向啊!"〔曾点〕说:"暮春时节,春天的夹服已经穿定了,和成年人五六人,少年六七人,去沂河洗洗澡,到舞雩台上吹吹风,唱着歌一路走回来。"孔子长叹了一声,说:"我是赞成曾点的。"三人出去了,曾皙最后走。曾皙〔问孔子〕说:"这三位说的话如何呢?"孔子说:"也就是各人谈谈自己的志向罢了。"〔曾皙〕说:"夫子为何笑仲由呢?"〔孔子〕说:"治理国家要讲礼让,他说话却不谦让,所以笑他。"〔曾皙又问:〕"难道冉求所讲的不是邦国之事吗?"〔孔子说:〕"哪里见得纵横六七十里或者五六十里的地方就不是国家呢?"〔曾皙又问:〕"难道公西赤所讲的不是邦国之事吗?"〔孔子说:〕"有宗庙、有同别国的盟会,那不是诸侯国又是什么呢?如果公西赤只能做一个小相,谁还能做大相呢?"

【注释】

① 曾皙(xī 西):姓曾,名点,字子皙。曾参的父亲。南武城人。也是孔子的弟子。

② 毋吾以:不要因我而受拘束,而停止说话,不肯发言。"毋",不,不要。"以",同"已"。停止。

③ 居:平时,平素。

④ 率尔:轻率地,急忙地。

⑤ 千乘之国:"乘(shèng 胜)",兵车。古代常以兵车数作为国家大小的标志。古代是按土地多少出兵车的,出一千辆兵车就是拥有纵横一百里面积的诸侯国。

⑥ 摄:夹在其中,受局促,受逼迫,受管束。

⑦　师旅:古代军队组织,五人为伍,五伍为两,四两为卒(100人),五卒为旅(500人),五旅为师(2500人),五师为军。"加之以师旅",犹言发生战争,受别国军队的侵犯。

⑧　饥馑(jǐn紧):荒年,灾荒,凶年。《尔雅·释天》:"谷不熟为饥,蔬不熟为馑。"

⑨　比及:等到,到了。

⑩　知方:指懂得道义,遵守礼义。

⑪　哂(shěn审):微笑,讥笑。

⑫　俟(sì四):等待。

⑬　赤:即公西华。参阅《公冶长第五》第八章注。

⑭　会同:诸侯会盟。两诸侯相见,叫"会";许多诸侯一起相见,叫"同"。

⑮　端章甫:"端",也写作"禒",周代的一种礼服,也叫"玄端"。"章甫",一种礼帽。这里泛指穿着礼服。

⑯　相:在祭祀、会同时,行赞礼的人员。也叫傧相。有不同的职位等级,故文中有"小相""大相"之说。

⑰　希:通"稀"。稀疏(节奏速度放慢)。

⑱　铿(kēng坑)尔:铿的一声。形容乐声有节奏而响亮。一说,曲终拨动瑟弦的馀音。

⑲　作:站起身来。

⑳　三子:三位。"子"是对同学的尊称。　撰:同"譔"。陈述的事,说的话。

㉑　伤:妨害,妨碍。

㉒　莫:同"暮"。

㉓　春服:指春天穿的夹衣(里表两层)。　既:已经。　成:定,穿得住了。

㉔　冠者:成年人。古代男子二十岁举行冠礼,束发加冠,表示已经成年。

㉕　沂(yí移):水名。发源于山东省邹城市东北,经曲阜市南及江苏

省北部,流入黄海。传说当时该处有温泉。

㉖ 风:作动词用,吹风,乘凉。 舞雩:"雩(yú 鱼)",古代求雨的祭坛。因人们乞雨必舞,故称"舞雩"。这里指鲁国祭天求雨的台子,在今曲阜市南,有坛有树。北魏郦道元《水经注》称:"沂水北对稷门,一名高门,一名雩门。南隔水有雩坛,坛高三丈,即曾点所欲风处也。"

㉗ 唯:语首助词,无实际意义。

颜　渊　篇　第　十　二

(共二十四章)

主要讲孔子教育弟子如何为仁、为政、处世。

颜渊问仁①。子曰:"克己复礼为仁②,一日克己复礼,天下归仁焉③。为仁由己,而由人乎哉?"颜渊曰:"请问其目④。"子曰:"非礼勿视,非礼勿听,非礼勿言,非礼勿动。"颜渊曰:"回虽不敏,请事斯语矣⑤。"

【今译】

颜渊问〔怎样是〕仁。孔子说:"克制自己,使言行回复和符合于'礼',就是仁。有一天做到了克制自己,符合于礼,天下就都赞许你是仁人了。实行仁,在于自己,难道还在于别人吗?"颜渊说:"请问实行仁的纲领条目。"孔子说:"不符合礼的不看,不符合礼的不听,不符合礼的不说,不符合礼的不做。"颜渊说:"我虽然不聪敏,请让我按照您的话去做吧。"

【注释】

①　仁:儒家学说中含义非常广泛的一种道德观念。包括了恭,宽,信,敏,惠,智,勇,忠,恕,孝,悌等内容,而核心是指人与人的相亲相爱。"己所不欲,勿施于人","己欲立而立人,己欲达而达人"则是实行"仁"的主要方法。

②　克己复礼:"克",克制,约束,抑制。"己",自己。这里指一己的私欲。"复",回复。"礼",人类社会行为的法则、标准、仪式的总称。包括

了社会生活中由于风俗习惯而长期形成、又为大家所共同遵守的一整套的礼节仪式;人们相互之间表示尊敬谦让的言语或动作;也包括社会上通行的法纪、道德和礼貌。据《左传·昭公十二年》记载:"仲尼曰:'古也有志:克己复礼,仁也。'"可见"克己复礼"是孔子以前就有的古语,儒家用之作为一种自我修养的方法。

③　归仁:朱熹说:"归,犹与也。""一日克己复礼,则天下之人皆与其仁,极言其效之甚速而至大也。""与",赞许,称赞。一说,"归",归顺。这两句的意思就是:"有一天做到了克制自己,符合于礼,天下就归顺于仁人了。"

④　目:纲目,条目,具体要点。

⑤　事:从事,实行,实践。

仲弓问仁①。子曰:"出门如见大宾,使民如承大祭。己所不欲,勿施于人。在邦无怨,在家无怨。"仲弓曰:"雍虽不敏,请事斯语矣。"

【今译】

仲弓问〔怎样是〕仁。孔子说:"出门〔工作、办事〕如同去接待贵宾,使用差遣人民如同去承当重大的祭祀。自己不愿意承受的,不要加给别人。为国家办事没有怨恨,处理家事没有怨恨。"仲弓说:"我虽然不聪敏,请让我按照您的话去做吧。"

【注释】

①　仲弓:冉雍,字仲弓。参阅《公冶长第五》第五章注。

司马牛问仁①。子曰:"仁者,其言也讱②。"曰:"其言也讱,斯谓之仁已乎?"子曰:"为之难,言之得无讱乎?"

【今译】

·　司马牛问〔怎样是〕仁。孔子说:"仁人,说话慎重。"〔司马牛〕说:"说话慎重,就称作仁吗?"孔子说:"〔凡事〕做起来都是困难的,说话能不慎重吗?"

【注释】

① 司马牛:孔子的弟子。姓司马,名耕,一名犁,字子牛。宋国人。相传是宋国大夫桓魋(tuí 颓)的弟弟。

② 讱(rèn 认):言语迟钝,话难说出口,言若有忍而不易发。引申为说话十分慎重,不轻易开口。《史记·仲尼弟子列传》说司马牛"多言而躁"(饶舌话多,个性急躁),由此可见,孔子这一段话是针对司马牛"多言而躁"的毛病所提出的告诫。

司马牛问君子。子曰:"君子不忧不惧。"曰:"不忧不惧,斯谓之君子已乎?"子曰:"内省不疚①,夫何忧何惧?"

【今译】

司马牛问〔怎样是〕君子。孔子说:"君子不忧愁,不畏惧。"〔司马牛〕说:"不忧愁不畏惧,就称为君子了吗?"孔子说:"自己反省检查,问心无愧,那还忧愁什么畏惧什么?"

【注释】

① 省(xǐng 醒):检查,反省,检讨。 疚(jiù 旧):对于自己的错误感到内心惭愧,痛苦不安。

司马牛忧曰:"人皆有兄弟,我独亡①。"子夏曰:"商闻之矣:'死生有命,富贵在天。'君子敬而无失,与人恭而有礼,四海之内,皆兄弟也。君子何患乎无兄弟也?"

【今译】

司马牛忧愁地说:"人家都有兄弟,唯独我没有。"子夏说:"我听说过:'死生命中注定,富贵由天安排。'君子〔只要〕认真谨慎没有过失,对人恭敬而有礼貌,天下的人都是兄弟呀。君子何必忧虑没有兄弟呢?"

【注释】

① 我独亡："亡"，同"无"。关于司马牛没有兄弟的感叹，传统的说法是：司马牛之兄桓魋，与向巢、子颀、子车等在宋国作乱，失败后逃奔卫、齐、吴、鲁。司马牛虽始终未参与其兄的作乱，不赞成这种行为，但也被迫逃亡到鲁国。因此，司马牛有兄弟等于无兄弟，故发出这样的忧叹（事见《左传·哀公十四年》）。

　　子张问明。子曰："浸润之谮①，肤受之愬②，不行焉③，可谓明也已矣。浸润之谮，肤受之愬，不行焉，可谓远也已矣④。"

【今译】

　　子张问〔怎样是〕"明"。孔子说："像水浸润般的谗言，像皮肤受痛般的诬告，对你行不通，就可以说是看得明白了。像水浸润般的谗言，像皮肤受痛般的诬告，对你行不通，就可以说是看得远了。"

【注释】

① 浸润之谮："浸（jìn 进）润"，水（液体）一点一滴逐渐湿润渗透进去。"谮（zèn 怎去声）"，谗言，说人的坏话。浸润之谮，是说点滴而来、日积月累、好像水浸润般的诬陷中伤。

② 肤受之愬："肤受"，皮肤上感受到。"愬"，与谮义近，诽谤。《正义》说："愬亦谮也，变其文耳。"肤受之愬，是说好像皮肤上感觉到疼痛般急迫切身的诽谤诬告。

③ 不行：行不通。这里指不为那些暗里明里挑拨诬陷的话所迷惑，不听信谗言。

④ 远：古语说："远则明之至也。"《尚书·太甲中》说："视远惟明，听德惟聪。"可见"远"及上句中的"明"均指看得明白，看得深远、透彻，而"远"比"明"要更进一步。

　　子贡问政。子曰："足食，足兵①，民信之矣。"子贡曰："必不得已而去,于斯三者何先?"曰:"去兵。"子贡曰:"必不得已而去,于斯二者何先?"曰:"去食。自古皆有死,民无信不立。"

【今译】

子贡问怎样治理国家。孔子说:"有充足的粮食,有充足的军备,人民信任政府啊。"子贡说:"不得已一定要去掉一项,在这三项中哪一项先去掉呢?"〔孔子〕说:"去掉军备。"子贡说:"不得已一定要再去掉一项,在〔剩下的〕这两项中去掉哪一项呢?"〔孔子〕说:"去掉粮食。自古以来人都是要死的,但如果人民对政府不信任,〔国家政权〕是立不住的。"

【注释】

① 兵:兵器,武器。这里指军备。

棘子成曰①:"君子质而已矣②,何以文为③?"子贡曰:"惜乎,夫子之说君子也! 驷不及舌④。文犹质也,质犹文也。虎豹之鞟犹犬羊之鞟⑤。"

【今译】

棘子成说:"君子只要质朴就行了,为何还要那些文采?"子贡说:"可惜呀,夫子您竟这样评说君子。舌头一动,话说出口,就是套上四匹马拉的车,也追不回啊。文如同质,质如同文〔,两者同样重要〕。去掉毛的虎豹皮,与去掉毛的犬羊皮就很相似了。"

【注释】

① 棘子成:卫国的大夫。

② 质:质朴,内在的思想品质、道德修养纯朴。

③ 文:花纹,文采。引申为文辞、礼仪等方面的修养。

④ 驷不及舌:"驷(sì 四)",四匹马拉的车。"舌",指说出来的话。话一说出口,是追不回来的。

⑤ 鞹(kuò阔):同"鄰"。去掉了毛的兽皮。

　　哀公问于有若曰①:"年饥,用不足,如之何?"有若对曰:"盍彻乎②?"曰:"二③,吾犹不足,如之何其彻也?"对曰:"百姓足,君孰与不足? 百姓不足,君孰与足?"

【今译】

　　鲁哀公问有若:"年成不好有饥荒,〔国家财政〕用费不足,怎么办呢?"有若回答说:"为何不实行抽取十分之一的'彻'税法呢?"〔哀公〕说:"抽十分之二的田税,我还不够用,如何能实行'彻'税法呢?"〔有若〕说:"百姓富足了,国君怎么会不足? 百姓不富足,国君怎么会足?"

【注释】

　　① 哀公:鲁国国君。参阅《为政篇第二》第十九章注。　有若:姓有,名若,字子有。被后人尊称"有子"。参阅《学而篇第一》第二章注。

　　② 盍(hé河):何不,为什么不。　彻:西周的一种田税制度。就是国家从耕地的收获中抽取十分之一作为田税。

　　③ 二:指国家从耕地的收获中抽取十分之二作为田税。鲁国自宣公十五年(公元前594年)起,不再实行"彻"法,而是以"二"抽税。

　　子张问崇德辨惑。子曰:"主忠信,徙义①,崇德也。爱之欲其生,恶之欲其死,既欲其生,又欲其死,是惑也。'诚不以富,亦只以异'②。"

【今译】

　　子张问怎样提高品德,辨别迷惑。孔子说:"以忠诚信实为主,努力做到义,就是提高品德。喜爱一个人就希望他永远活着,厌恶起来又恨不得让他马上死去,既要他活,又要他死,这就是迷惑。〔《诗经》上说:〕'确实不是因为富不富,而只是因为见异思迁。'"

【注释】

① 徙义:指向义迁移、靠拢,按照义去做。"徙(xǐ 洗)",迁移。

② "诚不"句:出自《诗经·小雅·我行其野》。意思是:(你这样对待我)即使不是嫌贫爱富,也是喜新厌旧。孔子在此引这两句诗的意思,现已很难推测。有人认为这两句诗本是其他篇章的文字,因竹简编排的次序错了而误引在此处。可参。

齐景公问政于孔子①,孔子对曰:"君君,臣臣,父父,子子。"公曰:"善哉! 信如君不君,臣不臣,父不父,子不子,虽有粟,吾得而食诸?"

【今译】

齐景公向孔子问如何治理国家,孔子回答说:"君要像君的样子,臣要像臣的样子,父要像父的样子,子要像子的样子。"齐景公说:"很好啊! 果真是君不像君,臣不像臣,父不像父,子不像子,虽然有粮食,我能得到而享受吗?"

【注释】

① 齐景公:姓姜,名杵臼(chǔ jiù 楚旧)。齐庄公异母弟。公元前547—前490 年在位。鲁昭公末年,孔子到齐国时,齐大夫陈氏权势日重,而齐景公爱奢侈,多内嬖,厚赋敛,施重刑,不立太子,不听从晏婴的劝谏,国内政治混乱。所以,当齐景公问政时,孔子作了以上的回答。景公虽然口头上赞许同意孔子的意见,却未能真正采纳实行,为君而不尽君道,后来齐国终于被陈氏篡夺。

子曰:"片言可以折狱者①,其由也与!"子路无宿诺②。

【今译】

孔子说:"仅根据〔诉讼双方之中〕一方的言辞,就可以断案的,大概只有仲由吧!"子路没有过夜而不兑现的诺言。

【注释】

① 片言:指原告被告诉讼双方中一方的片面言辞。"片",单方面的。 折:断,判断,区别是非曲直。 狱:讼事,案件。

② 无宿诺:没有过宿隔夜的诺言,没有拖延而不实现的许诺。"宿",隔夜。

子曰:"听讼①,吾犹人也,必也使无讼乎!"

【今译】

孔子说:"〔要论〕审理案件,我如同别人一样,〔但我所不同的是〕必须使诉讼案件不发生啊!"

【注释】

① 听讼:处理诉讼。"听",判断,审理,处理。

子张问政。子曰:"居之无倦,行之以忠。"

【今译】

子张问怎样为政。孔子说:"坚守职位,不松懈倦怠,执行政令要忠实。"

子曰:"博学于文,约之以礼,亦可以弗畔矣夫①!"

【今译】

孔子说:"广泛地多学文化典籍,用礼来约束自己,就可以不违背〔君子之道〕了吧!"

【注释】

① 本章与《雍也篇第六》第二十七章文字略同,可参阅。

子曰:"君子成人之美,不成人之恶。小人反是。"

【今译】

孔子说:"君子成全别人的好事,不帮别人做成坏事。小人与此相反。"

季康子问政于孔子。孔子对曰:"政者,正也。子帅以正,孰敢不正?"

【今译】

季康子向孔子问怎样为政。孔子回答说:"政,就是正。您带头走正道,谁敢不走正道?"

季康子患盗,问于孔子。孔子对曰:"苟子之不欲①,虽赏之不窃。"

【今译】

季康子担忧盗贼多。向孔子询问〔该怎么办〕。孔子回答说:"假如您不贪财利,就是奖励盗窃,也没有人去盗窃。"

【注释】

① 苟(gǒu 狗):假如,如果。

季康子问政于孔子曰:"如杀无道,以就有道,何如?"孔子对曰:"子为政,焉用杀? 子欲善而民善矣。君子之德风,小人之德草,草上之风①,必偃②。"

【今译】

季康子向孔子询问如何为政,说:"如果杀掉作恶的坏人,而去亲近为善的好人,如何呢?"孔子回答说:"您为政,怎么还用杀人呢? 您要是想做好事,百姓也会做好事的。君子的品德就像是风,小人的品德就像是草,草上有风,草必然〔随风〕倒下。"

【注释】

① 草上之风:指草上有风,风吹到草上。

② 偃(yǎn 眼):仆倒,倒下。

子张问:"士何如斯可谓之达矣①?"子曰:"何哉,尔所谓达者?"子张对曰:"在邦必闻②,在家必闻。"子曰:"是闻也,非达也。夫达也者,质直而好义,察言而观色,虑以下人。在邦必达,在家必达。夫闻也者,色取仁而行违,居之不疑。在邦必闻,在家必闻。"

【今译】

子张问:"士,怎么样才叫做'达'?"孔子说:"你所说的'达'指什么?"子张回答说:"在朝廷做官一定有名声,为大夫做家臣一定有名声。"孔子说:"这只是名声,而不是'达'。所谓'达'的人,要质朴正直,好尚礼义,善于分析别人的言语,观察别人的脸色,经常想着对人谦恭有礼貌。〔这样的人〕在朝廷做官一定'达',为大夫做家臣一定'达'。至于有虚名的人,表面上好像主张仁德,行动上却违反仁德,还以仁人自居而不怀疑。〔这样的人〕在朝廷一定要〔骗取〕虚名,在大夫封地一定要〔骗取〕虚名。"

【注释】

① 达:通达,显达,处事通情达理,做官地位显贵。孔子认为:达者必须质直好义,具有仁德与智慧,才能与官职地位名实相副。

② 闻:有名声,名望。这里指虚有其名,名实不副。"闻"与"达"相似,而本质不同。达重在诚,要务实,自修于内。闻旨在伪,外求虚名,欺世盗名。

樊迟从游于舞雩之下,曰:"敢问崇德,修慝①,辨惑。"子曰:"善哉问! 先事后得,非崇德与? 攻其恶,无攻人之恶,非修慝与? 一朝之忿,忘其身,以及其亲,非惑与?"

【今译】

樊迟陪着〔孔子〕出游于舞雩台下,说:"我大胆地请问:怎样提高品德?怎样消除邪念?怎样辨清迷惑?"孔子说:"问得很好啊! 首先努力去做该做的事,不计较后来得到的收获,不就是提高品德么? 改掉自己的错误,不攻击别人的错误,不就是消除邪念么? 忍不住一时的气愤,而忘掉自身安危,甚至连累自己的父母亲的人,不就是迷惑么?"

【注释】

① 修:整治,消除改正。 慝(tè 特):邪恶的念头。

樊迟问仁。子曰:"爱人。"问知①。子曰:"知人。"樊迟未达②。子曰:"举直错诸枉③,能使枉者直。"樊迟退,见子夏曰:"乡也④,吾见于夫子而问知,子曰:'举直错诸枉,能使枉者直。'何谓也?"子夏曰:"富哉言乎! 舜有天下,选于众,举皋陶⑤,不仁者远矣⑥。汤有天下⑦,选于众,举伊尹⑧,不仁者远矣。"

【今译】

樊迟问什么是仁。孔子说:"爱人。"〔樊迟又〕问什么是智。孔子说:"知道识别人。"樊迟还不能透彻理解。孔子说:"推举选拔正直的人,安排的位置在邪恶的人之上,这样就能使邪恶的人转化为正直。"樊迟〔从孔子那儿〕退出来,见到子夏,说:"刚才我见到老师,问什么是智,老师说:'选拔推举正直的人,安排的位置在邪恶的人之上,这样就能使邪恶的人转化为正直。'这话是什么意思呀?"子夏说:"这是〔意义〕丰富而深刻的话啊! 舜有了天下,在众人中选拔人才,推举了皋陶,不仁的人就被疏远了。汤有了天下,在众人中选拔人才,推举了伊尹,不仁的人就被疏远了。"

【注释】

① 知:通"智"。

② 未达:还没明白,没透彻理解。"仁"是"爱人",不分亲疏远近都要爱;而"智"又要求知道了解人,善于识别人,辨明正、邪、贤、否、智、愚而区别对待;那么,"仁"与"智"是否矛盾,要做到"智"是否会妨害"仁"? 樊迟心里含糊,弄不大通,故说"未达"。

③ 错诸枉:置于邪恶的人之上。参见《为政篇第二》第十九章注。

④ 乡:通"向"。从前。此犹说"刚才"。

⑤ 皋陶(gāo yáo 高摇):传说舜时大臣,任"士师",掌管刑法。

⑥ 远:疏远,远离。

⑦ 汤:商朝开国君主,名履,灭夏桀而得天下。

⑧ 伊尹:名挚,汤任他为"阿衡"(即宰相),曾辅助汤灭夏兴商。

子贡问友。子曰:"忠告而善道之①,不可则止,毋自辱焉②。"

【今译】

子贡问怎样对待朋友。孔子说:"要忠诚地劝告他,委婉恰当地开导他,他还不听从,就停止算了,不要自受侮辱。"

【注释】

① 道:同"导"。引导,诱导。

② 毋(wú 吴):勿,不要。

曾子曰:"君子以文会友,以友辅仁。"

【今译】

曾子说:"君子以讲习诗书礼乐文章学问来聚会结交朋友,依靠朋友互相帮助来培养仁德。"

子 路 篇 第 十 三

(共三十章)

主要讲孔子教育弟子怎样做人,怎样为政。

子路问政。子曰:"先之①,劳之②。"请益。曰:"无倦。"

【今译】

子路问怎样为政。孔子说:"先要领头去干,带动老百姓都勤劳地干。"〔子路〕请求多讲一点。〔孔子〕说:"永远不要松懈怠惰。"

【注释】

① 先之:指为政者身体力行,凡事率先垂范,以身作则。"之",代词,指百姓。

② 劳之:这里指为政者亲身去干,以自身的"先劳",带动老百姓都勤劳地干,虽勤而无怨。

仲弓为季氏宰,问政。子曰:"先有司,赦小过,举贤才。"曰:"焉知贤才而举之?"子曰:"举尔所知;尔所不知,人其舍诸①?"

【今译】

仲弓担任季氏的私邑总管,问怎样为政。孔子说:"〔凡事〕要带头,引导手下管事的众官吏去做,宽赦他们的小错误,推举贤良的人才。"〔仲弓〕说:"怎么能知道谁是贤才而选拔他们呢?"孔子说:"选拔你所知道的;你所不知道的,别人难道能不推举他

157

吗?"

【注释】

① 舍:舍弃,放弃。这里指不推举。 诸:"之乎"二字合音。

子路曰:"卫君待子而为政①,子将奚先②?"子曰:"必也正名乎③!"子路曰:"有是哉,子之迂也④,奚其正?"子曰:"野哉,由也! 君子于其所不知,盖阙如也⑤。名不正则言不顺,言不顺则事不成,事不成则礼乐不兴,礼乐不兴则刑罚不中⑥,刑罚不中则民无所错手足⑦。故君子名之必可言也,言之必可行也。君子于其言,无所苟而已矣⑧。"

【今译】

子路〔对孔子〕说:"〔假如〕卫国国君等待您去治理国家,您将要先做什么事呢?"孔子说:"必须先正名分吧。"子路说:"有这样做的吗? 您太迂了,为什么要正名分呢?"孔子说:"真粗野鲁莽啊,仲由! 君子对自己所不知道的事情,大概总得抱着存疑的态度吧。〔如果〕名分不正,言语就不顺;言语不顺,事情就办不成;事情办不成,国家的礼乐制度就不能兴建起来;礼乐制度兴建不起来,刑罚的执行就不会恰当;刑罚执行不恰当,人民就手足失措。所以,君子确定名分必须可以说得清楚有理,说了也一定可以行得通。君子对自己所说的话,只是不草率马虎罢了。"

【注释】

① 卫君:卫出公蒯辄。他与父亲争位,引起国内混乱。所以孔子主张,要治理卫国,必先"正名",以明确"君君臣臣父父子子"的关系。参阅《述而篇第七》第十五章注。

② 奚:何,什么。

③ 正名:纠正礼制名分上的用词不当,正确地确定某个人的名分。"正",纠正,改正。"名",名分,礼制上的人的名义、身份、地位、等级等。

④ 迂(yū淤):迂腐;拘泥守旧,不切实际。

⑤ 阙如:存疑;对还没搞清楚的疑难问题暂时搁置,不下判断;对缺乏确凿根据的事,不武断,不妄说。"阙",同"缺"。

⑥ 中(zhòng众):得当,恰当,适合。

⑦ 错:同"措"。放置,安排,处置。

⑧ 苟(gǒu狗):苟且,随便,马虎。

樊迟请学稼①。子曰:"吾不如老农。"请学为圃②。曰:"吾不如老圃。"樊迟出。子曰:"小人哉,樊须也! 上好礼,则民莫敢不敬;上好义,则民莫敢不服;上好信,则民莫敢不用情。夫如是,则四方之民襁负其子而至矣③,焉用稼!"

【今译】

樊迟请教学习种庄稼。孔子说:"我不如老农夫。"〔樊迟〕请教学习种菜。〔孔子〕说:"我不如老菜农。"樊迟出去了。孔子说:"真是小人呀,樊须。上边重视礼,百姓就不敢不尊敬;上边重视义,百姓就不敢不服从;上边重视信,百姓就不敢不说出真情实况。假如做到这样,四方的百姓就会背着小孩前来投奔,〔从政者〕哪里用得上自己去种庄稼呢?"

【注释】

① 樊迟:姓樊,名须,字子迟。参阅《为政篇第二》第五章注。

② 圃(pǔ普):菜地,菜园。引申为种菜。

③ 襁(qiǎng抢):背婴儿的背带、布兜。

子曰:"诵《诗》三百,授之以政,不达①;使于四方,不能专对②,虽多,亦奚以为③?"

【今译】

孔子说:"熟读《诗经》三百篇,派他从政做官,却不会处理政务;派他当外交使节,却不能独立地办理处事交涉,读得虽然很多,又有什么用呢?"

【注释】

① 达:通达,通晓;会处理,会运用。

② 专对:即根据外交的具体情况,随机应变,独立行事,回答问题,办理交涉。外交使臣在处理对外交涉的事务时,因不可能时时事事都向本国朝廷请求指示,所以必须有"专对"的能力。又,当时在外交上往往以背诵《诗经》章句来委婉地进行提问和回答,故"诵诗三百"是外交人才的必备条件。

③ 以:用。 为:句末语助词,表示感慨或疑问。

子曰:"其身正,不令而行;其身不正,虽令不从。"

【今译】

孔子说:"本身品行端正,就是不发命令,人民也会照着去做;本身品行不正,即使发布命令,人民也不会听从。"

子曰:"鲁卫之政①,兄弟也。"

【今译】

孔子说:"鲁国、卫国的政治,像兄弟一般。"

【注释】

① 鲁卫之政:鲁国是周公(姬旦)的封地,卫国是周公的弟弟康叔的封地。鲁、卫本兄弟之国,后来衰乱又相似,孔子遂有这样的感叹。

子谓卫公子荆善居室①。始有,曰:"苟合矣②。"少有,曰:"苟完矣。"富有,曰:"苟美矣。"

【今译】

孔子说卫国的公子荆,善于管理家业。开始有些财产时,〔公子荆〕说:"差不多合于我的要求了。"再增加一些财产时,〔他〕说:"差不多完备了。"到财产富足时,说:"差不多是非常美好了。”

【注释】

① 公子荆：卫国的大夫，字南楚。是卫献公的儿子，故称公子荆。传说他十五岁就代理宰相，处理国事。对自己的家业和生活享受，能随时知足，不奢侈。吴国的公子季札，曾把公子荆列为卫国的君子(见《左传·襄公二十九年》)。 善居室：善于管理家业、管理财务经济，会过日子。

② 苟：差不多，也算是。

子适卫①，冉有仆②。子曰：“庶矣哉③！”冉有曰：“既庶矣，又何加焉④？”曰：“富之。”曰：“既富矣，又何加焉？”曰：“教之⑤。”

【今译】

孔子到卫国去，冉有驾车。孔子说：“〔这儿〕人真多啊！”冉有说：“人已经多了，又该怎么办呢？”〔孔子〕说：“让他们富裕起来。”〔冉有〕说：“已经富裕了，又该怎么办呢？”〔孔子〕说：“教育他们。”

【注释】

① 适：往，到，去。

② 仆：驾车。

③ 庶(shù 树)：众多。这里指卫国人口众多。

④ 何加：即“加何”。增加什么，进一步干什么、办什么。

⑤ 教：教育，教化。孔子主张“先富而后教”。

子曰：“苟有用我者①，期月而已可也②，三年有成。”

【今译】

孔子说：“如果有人用我〔治理国家〕，一周年就可以〔初具规模，有可观之处〕，三年〔功业〕会大有成效。”

【注释】

① 苟:如果,假如。

② 期月:周一年十二个月,即一周年。"期(jī 基)",周。

子曰:"'善人为邦百年,亦可以胜残去杀矣。'诚哉是言也①!"

【今译】

孔子说:"'善人治理国家一百年,也就可以克服残暴、免去刑杀了。'真对啊,这话!"

【注释】

① 是:代词。这,此。

子曰:"如有王者①,必世而后仁②。"

【今译】

孔子说:"如果有王者兴起,必须三十年以后才能实施仁政。"

【注释】

① 王者:能治国安邦、以德行仁的贤明君王。

② 世:三十年是一世。

子曰:"苟正其身矣,于从政乎何有? 不能正其身,如正人何?"

【今译】

孔子说:"如果端正了自身〔品行〕,从事政治还有什么〔困难〕呢? 自身不能端正,怎样使别人端正呢?"

冉子退朝①。子曰:"何晏也②?"对曰:"有政。"子曰:"其事也。如有政,虽不吾以③,吾其与闻之。"

冉求〔从季氏官府〕办完公事回来。孔子说："为何回来晚了？"〔冉求〕回答说："有政务。"孔子说："是〔季氏私家〕一般的事务吧。如果有〔国家〕政务，虽然〔国君〕不任用我了，我也会有所闻的。"

【注释】

① 冉子：冉求。曾任季氏宰（家臣）。参阅《八佾篇第三》第六章注。

② 晏(yàn 砚)：晚，迟。

③ 吾以：用我。"以"，用。

定公问："一言而可以兴邦，有诸①？"孔子对曰："言不可以若是，其几也②，人之言曰：'为君难，为臣不易。'如知为君之难也，不几乎一言而兴邦乎？"曰："一言而丧邦，有诸？"孔子对曰："言不可以若是，其几也，人之言曰：'予无乐乎为君，唯其言而莫予违也。'如其善而莫之违也，不亦善乎？ 如不善而莫之违也，不几乎一言而丧邦乎？"

【今译】

鲁定公问："一句话就可以使国家兴盛，有这样的话吗？"孔子回答说："话不可以讲得像这样肯定，但有与这接近的，有人说：'做君主难，做臣也不容易。'如果知道做君主难，这岂不接近于'一句话就可以使国家兴盛'吗？"〔鲁定公〕说："一句话就可以使国家丧失，有这样的话吗？"孔子回答说："话不可以讲得像这样肯定，但有与这接近的，有人说：'我做君主并没有什么可高兴的，只是〔高兴〕我说的话没有人违抗。'如果君主说的话正确，而没有人违抗，不也是很好吗？ 如果说的话不正确，而没有人违抗，这岂不接近于'一句话就可以使国家丧失'吗？"

【注释】

① 诸:"之乎"二字的合音。

② 几(jī基):将近,接近。

叶公问政①。子曰:"近者说,远者来。"

【今译】

叶公问怎样为政。孔子说:"使近处的人民感到喜悦,远处的人民来投奔归附。"

【注释】

① 叶公:姓沈,名诸梁,楚国大夫。参阅《述而篇第七》第十九章注。

子夏为莒父宰①,问政。子曰:"无欲速,无见小利。欲速则不达,见小利则大事不成。"

【今译】

子夏到莒父当地方长官,问怎样为政。孔子说:"不要求速成,不要贪图小利。想求速成,反而达不到目的;贪图小利,就做不成大事。"

【注释】

① 莒父(jǔ fǔ举甫):鲁国城邑名,在今山东省莒县境内。一说,在高密县东南。

叶公语孔子曰:"吾党有直躬者①,其父攘羊而子证之②。"孔子曰:"吾党之直者异于是,父为子隐③,子为父隐,直在其中矣。"

【今译】

叶公对孔子说:"我的家乡有个正直的人,他的父亲偷了羊,他便去告发。"孔子说:"我们家乡的正直的人和你所讲的不一样:父亲为儿子隐瞒,儿子为父亲隐瞒,正直的品德就在其中了。"

【注释】

①　直躬者:犹言正直、坦率的人。"躬",身。

②　攘(rǎng嚷):偷,窃,抢。　证:检举,告发。

③　父为子隐:"隐",隐瞒,隐讳。儒家提倡父慈子孝,即使对方有错,也要在外人面前为之隐瞒。这反映了儒家思想的局限性。

樊迟问仁。子曰:"居处恭,执事敬,与人忠。虽之夷狄①,不可弃也。"

【今译】

樊迟问怎样是仁。孔子说:"在家能恭敬规矩,办事能认真谨慎,对人能忠实诚恳。虽然到了夷狄,〔这三种德行〕也是不可放弃的。"

【注释】

①　之:动词。到,去,往。

子贡问曰:"何如斯可谓之士矣?"子曰:"行己有耻,使于四方,不辱君命,可谓士矣。"曰:"敢问其次?"曰:"宗族称孝焉,乡党称弟焉①。"曰:"敢问其次?"曰:"言必信,行必果。硁硁然小人哉②,抑亦可以为次矣。"曰:"今之从政者何如?"子曰:"噫!斗筲之人③,何足算也!"

【今译】

子贡问:"如何才配称为'士'?"孔子说:"对自己的行为能保持羞耻之心;出使到其他国家,能不辜负君主委托的使命,这样的人可配称为'士'了。"〔子贡〕说:"我冒昧地问,次一等的呢?"〔孔子〕说:"宗族里的人称赞他孝顺父母,乡里的人称赞他敬爱兄长。"〔子贡〕说:"我冒昧地问,再次一等的呢?"〔孔子〕说:"说话一定守信用,行动一定坚决果断。〔虽然这样做〕是浅薄固执的小人,不过也可以作为次一等的了。"〔子贡〕说:"如今从政的人如何呢?"孔子说:"咳!这些器量小的卑贱的人,算得了什么!"

【注释】

① 弟:同"悌"。敬爱兄长。

② 硁硁然:"硁(kēng 坑)",通"硻",小石坚确貌。形容浅薄固执。孔子认为如果不问是非曲直,在大事上糊涂,只管自己的言行"必信""必果",必然会陷于浅薄固执。《孟子·离娄下》说:"大人者,言不必信,行不必果,惟义所在。"意思是:真正有德行的人,说话不一定句句守信,行为不一定贯彻始终,只要合乎道义,按道义行事便成。这话可作为《论语》本章的补充。

③ 斗筲:"筲(shāo 烧)",盛饭用的小竹器,饭筐。斗、筲容量都不大(一斗只容十升;一筲只容五升,一说容一斗二升),引申来形容人的见识短浅,器量狭小。

子曰:"不得中行而与之①,必也狂狷乎②!狂者进取,狷者有所不为也。"

【今译】

孔子说:"找不到言行合于中庸之道的人与他交往,那一定是要同狂者和狷者交往了。狂者有进取心,敢作敢为;狷者拘谨,洁身自好,绝不肯做坏事。"

【注释】

① 中行:合乎中庸之道的言行。 与:相与,交往,来往;向他传道,同他共事。

② 狂:指志意高远,纵情任性,骄傲自大,但勇往直前,敢作敢为,有进取精神。 狷(juàn 倦):指为人耿直拘谨,洁身自好,安分守己,不求有所作为亦绝不肯同流合污。

子曰:"南人有言曰:'人而无恒,不可以作巫医①。'善夫!'不恒其德,或承之羞②。'"子曰:"不占而已矣③。"

【今译】

孔子说:"南方人有句话说:'人如果没有恒心,不可以当巫医。'〔这话〕真好啊!〔《易经》上也说:〕'如果不能永恒地保持自己的德行,免不了要承受羞辱。'"孔子〔又〕说:"〔这就是叫没有恒心的人〕不用占卦罢了。"

【注释】

①　巫医:"巫",巫师,能降神占卜的人。"医",医师。古代巫、医往往合于一身,巫师亦往往掌握一定的医术,或以禳祷之术替人疗疾。朱熹说:"巫,所以交鬼神;医,所以寄死生。故虽贱役,而犹不可以无常。"

②　"不恒"二句:见《易经·恒卦·九三爻辞》。意为:做人如果不能永恒地保持自己的德行(三心二意,没有操守),免不了要承受招来的羞辱。

③　占:占卜,算卦。孔子这句话的言下之意或为:没有恒心的人一定遇凶,用不着再去占卜了。

·子曰:"君子和而不同①,小人同而不和。"

【今译】

孔子说:"君子,讲求和谐而不盲从附和;小人,同流合污而不能和谐。"

【注释】

①　和,同:这是春秋时代常用的两个概念。"和",和谐,调和,互相协调。指不同性质的各种因素的和谐统一。如五味的调和,八音的合谐。君子尚义,无乖戾之心,能和谐共处,但不盲从附和,能用自己的正确意见来纠正别人的错误意见,故说"和而不同"。"同",相同,同类,同一。小人尚利,在利益一致时,互相阿比,同流合污,能够"同";然一旦利益发生冲突,则不能和谐相处,更不能用道义来协调人情世故。故说"同而不和"。

子贡问曰:"乡人皆好之①,何如?"子曰:"未可也。""乡人皆恶之②,何如?"子曰:"未可也。不如乡人之善者好之,其不善者恶之。"

【今译】

子贡问:"全乡都喜欢的人,如何呢?"孔子说:"未必可以。"〔子贡又问:〕"全乡都憎恶的人,如何呢?"孔子说:"未必可以。不如是全乡中的好人都喜欢他,坏人都讨厌他。"

【注释】

① 好(hào 号):喜爱,称道,赞扬。

② 恶(wù 务):憎恨,讨厌。

子曰:"君子易事而难说也①。说之不以道,不说也。及其使人也,器之。小人难事而易说也。说之虽不以道,说也。及其使人也,求备焉。"

【今译】

孔子说:"给君子做事容易,却难以讨他的喜欢。不以正道去讨他的喜欢,他是不喜欢的。而到他使用人的时候,对人却能按才能的大小合理使用他。给小人做事很困难,却容易讨他喜欢。虽然不以正道去讨他的喜欢,他也会喜欢的。而到他使用人的时候,对人就求全责备。"

【注释】

① 易事:易与共事,事奉他、给他做事容易。 说:同"悦"。

子曰:"君子泰而不骄①,小人骄而不泰。"

【今译】

孔子说:"君子安舒坦然而不骄傲放肆,小人骄傲放肆而不安舒坦然。"

【注释】

① 泰，骄：皇侃《论语义疏》："君子坦荡荡，心貌怡平，是泰而不为骄慢也；小人性好轻凌，而心恒戚戚，是骄而不泰也。"朱熹说："君子循理，故安舒而不矜肆。小人逐欲，故反是。"

子曰："刚，毅，木①，讷②，近仁。"

【今译】

孔子说："刚强不屈，果敢坚毅，质朴老实，言语谨慎，〔这四种品德〕接近于仁。"

【注释】

① 木：质朴，朴实，憨厚老实。

② 讷：说话迟钝。引申为言语非常谨慎，不肯轻易说话。

子路问曰："何如斯可谓之士矣?"子曰："切切偲偲①，怡怡如也②，可谓士矣。朋友切切偲偲，兄弟怡怡。"

【今译】

子路问："如何才配称为'士'呢?"孔子说："互相勉励督促，待人亲切和气，可以称为'士'了。朋友之间要互相勉励督促，兄弟之间要亲切和气。"

【注释】

① 切切偲偲(sī 私)：恳切地责勉、告诫，善意地互相批评；相互切磋，相互督促，和睦相处。

② 怡怡(yí 移)：和气，安适，愉快。

子曰："善人教民七年①，亦可以即戎矣②。"

【今译】

孔子说:"有作为的领导人教练百姓七年,就可以〔使百姓〕从军作战了。"

【注释】

①　善人:好的有作为的领导人。一说,善于治军作战的人。

②　即:靠近,从事,参加。　戎(róng 荣):军队,战争。

子曰:"以不教民战①,是谓弃之。"

【今译】

孔子说:"用没有经过军事训练的人去作战打仗,这就叫做抛弃他们。"

【注释】

①　不教民:即"不教之民"。没有经过军事教育训练的人。

宪问篇第十四

（共四十四章）

主要记孔子及其弟子论修身作人之道，兼有对历史人物的评价。

宪问耻①。子曰："邦有道，谷②。邦无道，谷，耻也。""克、伐、怨、欲③，不行焉，可以为仁矣？"子曰："可以为难矣，仁则吾不知也。"

【今译】

原宪问怎样是可耻。孔子说："国家有道，应做官拿俸禄。国家无道，仍然做官拿俸禄，就是可耻。"[原宪又问：]"好胜，自夸，怨恨，贪欲，[这些毛病]都能克制，可以算做到了仁吧？"孔子说："可以说是难能可贵的，至于[算不算做到]仁，我不知道。"

【注释】

① 宪：即原思。参阅《雍也篇第六》第五章注。原思，当属于前章孔子所说的"狷者"类型的人物，故孔子言"邦有道"应有为而立功食禄，"邦无道"才应独善而不贪位慕禄，以激励原思的志向，使他自勉而进于有为。

② 谷：谷米。指当官拿俸禄。

③ 克：争强好胜。　伐：自我夸耀。　怨：怨恨，恼怒。　欲：贪求多欲。

子曰："士而怀居①，不足以为士矣。"

孔子说:"作为'士',如果留恋家庭,就不足以成为'士'了。"

【注释】

① 怀居:"怀",留恋,思念。"居",家居,家庭。《左传》上有"怀与安,实败名"的话(《僖公二十三年》),士若怀恋家居之安,心有所累,就成功不了事业。

子曰:"邦有道,危言危行①;邦无道,危行言孙②。"

【今译】

孔子说:"国家有道,要说话正直,行为正直;国家无道,行为仍可正直,但说话要随和顺从。"

【注释】

① 危:正直。言人所不敢言,行人所不敢行。

② 孙:同"逊"。谦逊,恭顺。在这里,有随和顺从而谨慎之意。孔子认为,处乱世,要"言孙"以避祸,不应"危言"而招祸(作无谓牺牲)。

子曰:"有德者必有言,有言者不必有德。仁者必有勇,勇者不必有仁。"

【今译】

孔子说:"有德行的人一定有[好的]言论,有[好的]言论的人却不一定有德行。有仁德的人必定勇敢,勇敢的人却不一定有仁德。"

南宫适问于孔子曰①:"羿善射②,奡荡舟③,俱不得其死然。禹、稷躬稼而有天下④。"夫子不答。南宫适出。子曰:"君子哉若人! 尚德哉若人!"

【今译】

南宫适问孔子:"羿善于射箭,奡善于水战,最后都不得好死。禹、稷亲自种庄稼,却取得了天下。[应怎样评价这些历史人物呢?]"孔子没回答。南宫适出去了。孔子说:"真是君子啊,这个人! 真是尊崇道德啊,这个人!"

【注释】

① 南宫适:孔子弟子。参阅《公冶长篇第五》第二章注。

② 羿:在上古神话传说中有三个羿,都是善于射箭的英雄。一是唐尧时的射箭能手。传说尧时十日并出,晒得大地河干草枯,羿射掉九日以解救民困。二是帝喾时的射师。三是夏时有穷国的君主。传说他本是夷族的一个酋长,曾一度篡夺了夏的政权而代理夏政。其理政后荒淫喜猎,把朝政交给亲信家臣寒浞(zhuó 浊)管理。寒浞觊觎羿的地位和美貌的妻子,收买了羿的家奴逢蒙,乘羿打猎回来毫无防备,将其杀害。本章中的羿即指有穷国的羿。

③ 奡荡舟:"奡(ào 傲)",一作"浇"。寒浞的儿子。是个大力士,又善于水战。传说他能"陆地行舟(在陆地上推着船走)"。"荡舟",摇船,划船。据顾炎武《日知录》说:古人以左右冲杀为"荡"。这里便可理解为水战,即以舟师冲杀。《竹书纪年》曾记:"奡伐斟礓,大战于潍,覆其舟,灭之。"后在征战中,奡被夏朝中兴之主少康所杀。

④ 禹:夏代开国祖先,善治水,重视发展农业。 稷(jì 计):传说是帝喾之子,名弃,善农耕,尧举为农师。至舜时,受封于邰(今陕西省武功县西南),号曰"后稷",别姓姬氏,是周朝的祖先。后世又被奉为谷神。

子曰:"君子而不仁者有矣夫,未有小人而仁者也。"

【今译】

孔子说:"君子当中没有仁德的人是有的呀,[可是]小人当中从来没有有仁德的人。"

子曰:"爱之,能勿劳乎①? 忠焉,能勿诲乎?"

【今译】

孔子说:"爱他,能不让他勤劳吗? 忠于他,能不劝告教诲他吗?"

【注释】

① 劳:勤劳,劳苦,操劳。此有进行劳动教育的含意。朱熹《四书集注》说:"爱而知劳之,则其为爱也深矣;忠而知诲之,则其为忠也大矣。"《国语·鲁语下》:"夫民劳则思,思则善心生;逸则淫,淫则忘善,忘善则恶心生。"

子曰:"为命①,裨谌草创之②,世叔讨论之③,行人子羽修饰之④,东里子产润色之⑤。"

【今译】

孔子说:"[郑国]创制外交公文,总是由裨谌创作写出草稿;由世叔组织讨论;由外交官员子羽加以修饰;再由东里的子产润色。"

【注释】

① 命:旧注谓指诸侯"盟会之辞",即外交辞令。

② 裨谌(pí chén 皮臣):郑国大夫。

③ 世叔:《左传》作"子太叔"("太"、"世"二字古时通用),名游吉,郑国大夫。子产死后,继任郑国宰相。

④ 行人:掌使之官(外交官员)。 子羽:公孙挥,字子羽。郑国大夫。

⑤ 东里:郑国邑名,在今河南郑州市,子产所居。 子产:名侨,字子产。郑国大夫,后任宰相,有政声。

或问子产,子曰:"惠人也。"问子西①,曰:"彼哉! 彼哉②!"问管仲,曰:"人也。夺伯氏骈邑三百③,饭疏食,没齿无怨言④。"

有人问到子产[是怎样的人],孔子说:"是惠爱于民的人。"问到子西,[孔子]说:"他呀! 他呀!"问到管仲,[孔子]说:"是个人才。他剥夺了伯氏骈邑的三百户采地,[伯氏]只得吃粗粮和蔬菜,[可是]直到老死,也没有怨言。"

【注释】

① 子西:春秋时,载入史籍的有三个子西。其一,楚国的公子申(楚平王的庶长子),曾任令尹(即宰相),有贤名,立楚昭王。他和孔子同时,死于孔子之后。其二,楚国的斗宜申。后谋乱被杀。生活在鲁僖公、鲁文公之世。其三,郑国的公孙夏,是子产(公孙侨)的同宗兄弟。曾掌握郑国政权,他死后,才由子产继他而执政。生当鲁襄公之世。本章的子西,或说指楚国的公子申,或说指郑国的公孙夏,已不可确考。

② "彼哉"句:他呀,他呀。这是古代曾经流行的一个习惯用语,表示轻视,犹言算得了什么,不值得一提。

③ 伯氏:名偃,齐国大夫。 骈邑:齐国的地名。据清代阮元《积古斋钟鼎彝器款识》考证,今山东省临朐县柳山寨,即春秋时的骈邑,现仍残留有古城城基。

④ 没(mò 默)齿:老到牙齿都掉没了。指老死,终身。 无怨言:没有抱怨、怨恨的话。史载:伯氏有罪,管仲为宰相,奉齐桓公之命,依法下令剥夺了伯氏的采邑三百户。因管仲执法公允,所以伯氏口服心服,始终无怨言。

子曰:"贫而无怨难,富而无骄易。"

【今译】

孔子说:"贫穷而没有怨恨,是困难的;富裕了而不骄傲,是容易的。"

子曰:"孟公绰为赵、魏老则优①,不可以为滕、薛大夫②。"

【今译】

孔子说:"孟公绰做赵氏、魏氏的家臣,是优良的;但是不可以做滕、薛的大夫。"

【注释】

① 孟公绰:鲁国大夫,属于孟孙氏家族。廉静寡欲而短于才。其德为孔子所敬重。 老:古代对大夫家臣之长的尊称,也称"室老"。

② 滕、薛:古代两个小诸侯国。"滕",故城在今山东省滕州市西南十五里。"薛",故城在今山东省滕州市东南四十馀里官桥至薛城一带。为何孟公绰不宜任小国的大夫呢? 朱熹说:"大家势重,而无诸侯之事;家老望尊,而无官守之责。""滕、薛国小政繁,大夫位高责重。"所以,孔子说像孟公绰这种"廉静寡欲而短于才"的人,可以任大国上卿的家臣(望尊而职不杂,德高则能胜任),而不可以任小国的大夫(政烦责重,才短则难以胜任)。这说明了知人善任的重要性。

子路问成人①。子曰:"若臧武仲之知②,公绰之不欲,卞庄子之勇③,冉求之艺,文之以礼乐,亦可以为成人矣。"曰:"今之成人者何必然? 见利思义,见危授命,久要不忘平生之言④,亦可以为成人矣。"

【今译】

子路问怎样才是一个完美的人。孔子说:"假若有臧武仲的明智,孟公绰的不贪欲,卞庄子的勇敢,冉求的多才多艺,再用礼乐以增文采,也就可以成为完美的人了。"[孔子又]说:"现在要成为完美的人何必一定这样要求呢? [只要他]见到财利时能想到道义,遇到[国家]有危难而愿付出生命,长久处于穷困的境遇也不忘记平日的诺言,也就可以成为一个完美的人了。"

【注释】

① 成人:完人;人格完备,德才兼备的人。

② 臧武仲:即臧孙纥(hé 盒),臧文仲之孙。鲁国大夫,因不容于鲁

国权臣而出逃。逃到齐国后,他预料到齐庄公不能长久,便设法拒绝了齐庄公给他的田,孔子认为他很明智(见《左传·襄公二十三年》)。

③ 卞庄子:鲁国大夫,封地在卞邑(今山东省泗水县东)。传说他曾一个人去打虎,以勇著称。一说,即孟庄子。

④ 久要:长久处于穷困的境遇。"要(yāo 腰)",通"约"。穷困。一说,"久要"即旧约,旧时答应过别人的话,从前同别人约定的事。　平生:平日。

子问公叔文子于公明贾曰①:"信乎,夫子不言、不笑、不取乎②?"公明贾对曰:"以告者过也③。夫子时然后言,人不厌其言;乐然后笑,人不厌其笑;义然后取,人不厌其取。"子曰:"其然,岂其然乎?"

【今译】

孔子向公明贾问到公叔文子,说:"是真的吗?[有人说公叔文子]老先生不说、不笑、不取财。"公明贾回答说:"这是传话的人说得过分了。[公叔文子]老先生是到适当的时候然后说,别人就不讨厌他的讲话;快乐了然后笑,别人就不讨厌他的笑;符合礼义然后取财,别人就不讨厌他的取。"孔子说:"原来是这样,怎么会[传成]那样呢?"

【注释】

① 公叔文子:名拔(一作发)。卫国大夫,卫献公之孙。死后谥"文",故称公叔文子。　公明贾:姓公明,名贾。卫国人。公叔文子的使臣。一说,"公明"即"公羊",是《礼记》中说的公羊贾。

② 夫子:敬称公叔文子。

③ 过:说得过分,传话传错了。

子曰:"臧武仲以防求为后于鲁①,虽曰不要君②,吾不信也。"

【今译】

孔子说:"臧武仲凭借防而请求[鲁国国君]为他在鲁国立后代为大夫,虽然有人说[臧武仲这样做]不是要挟君主,可是我不相信。"

【注释】

① "臧武"句:"防",鲁国地名,在今山东省费县东北六十里的华城,紧靠齐国边境,是臧武仲受封的地方。公元前 550 年(鲁襄公二十三年),臧武仲因帮助季氏废长立少得罪了孟孙氏,逃到邻近郱国。不久,他又回到他的故邑防城,向鲁国国君请求为臧氏立后代(让他的子孙袭受封地,并任鲁国大夫)。言辞甚逊,但言外之意:否则将据邑以叛。得到允许后,他逃亡到齐国(见《左传·襄公二十三年》)。

② 要(yāo 腰):胁迫,要挟。

子曰:"晋文公谲而不正①,齐桓公正而不谲②。"

【今译】

孔子说:"晋文公诡诈不正派;齐桓公正派不诡诈。"

【注释】

① 晋文公:春秋时有作为的政治家。晋献公之子,姓姬,名重耳。因献公宠骊姬,立幼子为嗣,他受到迫害,流亡国外十九年;后由秦国送回晋国,即位,为文公。他整顿内政,加强军队,使国力强盛。又平定周朝内乱,迎接周襄王复位,以"尊王"相号召。他伐卫致楚,"城濮之战"用阴谋而大败楚军。在践土(今河南省荥阳县东北)大会诸侯,成为春秋时著名的霸主之一。公元前 636—前 628 年在位。 谲(jué 绝):欺诈,玩弄权术,要弄阴谋手段。

② 齐桓公:春秋时有作为的政治家。姓姜,名小白,姜尚(太公)的后人,齐襄公之弟。襄公被杀后,他从莒回国,取得政权。任用管仲为相,进行改革,富国强兵。以"尊王攘夷"相号召,帮助燕国打败北戎,营救邢、卫二国,制止戎狄入侵;又联合中原诸侯进攻蔡、楚,与楚会盟于召陵(今

河南省鄄城东北);还平定了东周王室的内乱,多次与诸侯结盟,互不使用武力,使天下太平了四十年。齐桓公成为春秋时第一个霸主。公元前685—前643年在位。

子路曰:"桓公杀公子纠①,召忽死之②,管仲不死。"曰:"未仁乎?"子曰:"桓公九合诸侯③,不以兵车④,管仲之力也!如其仁!如其仁!"

【今译】

子路说:"齐桓公杀了公子纠,召忽自杀殉节,但管仲却没有自杀。"[子路又]说:"[这样,管仲]算是没有仁德吧?"孔子说:"齐桓公多次召集各诸侯国,主持盟会,没用武力,而制止了战争,这都是管仲的力量啊!这就算他的仁德!这就算他的仁德!"

【注释】

① 公子纠:小白(即后来的齐桓公)的哥哥。他二人都是齐襄公的弟弟。襄公无道,政局混乱,他二人怕受连累,于是,小白由鲍叔牙事奉逃亡莒国,公子纠由管仲、召忽事奉逃亡鲁国。而后,齐襄公被公孙无知杀死,公孙无知立为君。次年,雍廪又杀死公孙无知,齐国当时就没有国君了。在鲁庄公发兵护送公子纠要回齐国即位的时候,小白用计抢先回到齐国,立为君。接着兴兵伐鲁,逼迫鲁国杀死了公子纠(见《左传》庄公八年、九年)。

② 召忽:他与管仲都是公子纠的家臣、师傅。公子纠被杀后,召忽自杀殉节。管仲却归服齐桓公,并由鲍叔牙推荐当了宰相。

③ 九合诸侯:多次会合诸侯。"九",不是确数,极言其多。一说,"九"便是"纠",古字通用。"合",集合。

④ 不以:不用。　兵车:战车。代指武力。

子贡曰:"管仲非仁者与?桓公杀公子纠,不能死,又相之。"

子曰："管仲相桓公,霸诸侯,一匡天下①,民到于今受其赐。微管仲②,吾其被发左衽矣③。岂若匹夫匹妇之为谅也④,自经于沟渎而莫之知也⑤!"

【今译】

子贡说："管仲不是仁人吧? 桓公杀了公子纠,[管仲]没自杀,却又辅佐桓公。"孔子说："管仲辅佐桓公,[使齐国]在诸侯中称霸,匡正了天下,人民到如今还受到他给的好处。如果没有管仲,我们恐怕已经沦为披头散发衣襟在左边开的落后民族了。难道[管仲]像一般的平庸男女那样,为了守小节,在小山沟里上吊自杀,而不被人所知道吗?"

【注释】

①　一匡天下:使天下的一切得到匡正。"匡",正,纠正。

②　微:非,无,没有。一般用于和既成事实相反的假设句前面。

③　被发左衽:当时边疆地区夷狄少数民族的风俗、打扮。"被",同"披"。"衽(rèn 任)",衣襟。

④　匹夫匹妇:指一般的平民百姓,平庸的人。　谅:信实,遵守信用。这里指拘泥小的信义、小的节操。

⑤　自经:自缢,上吊自杀。　沟渎(dú 毒):古时,田间水道称沟,邑间水道称渎。这里指小山沟。

公叔文子之臣大夫僎与文子同升诸公①。子闻之,曰:"可以为'文'矣②。"

【今译】

公叔文子的家臣大夫僎,与文子同在朝廷为大夫。孔子听到这件事,说:"[公叔文子死后]可以用'文'作谥号了。"

【注释】

①　僎(xún 寻):人名。原是公叔文子的家臣,由于文子的推荐,当上卫国的大夫。　同升诸公:谓僎由家臣经公叔文子推荐而与之同为卫国

的大夫。"公",公室,朝廷。

② 为文:谥号为"文"。实际上,公叔文子死后,其子戍请谥于君。卫君说:过去卫国遭荒年时,公叔文子曾煮粥赈济,施恩惠于饥民;又在国家危难时对君王表现非常忠贞。故给他的谥号是"贞惠文子"。

子言卫灵公之无道也,康子曰:"夫如是,奚而不丧①?"孔子曰:"仲叔圉治宾客②,祝鮀治宗庙③,王孙贾治军旅。夫如是,奚其丧?"

【今译】

孔子说到卫灵公的昏庸无道,季康子说:"像这样[无道],为什么还不失位丧亡呢?"孔子说:"有仲叔圉接待宾客办理外交,祝鮀主管祭祀,王孙贾统率军队。像这样[用人得当],怎么会失位丧亡呢?"

【注释】

① 奚:为何,为什么。

② 仲叔圉(yǔ 雨):即孔文子。卫国大夫,世袭贵族。

③ 祝鮀(tuó 驼):卫国大夫,世袭贵族。

子曰:"其言之不怍①,则为之也难。"

【今译】

孔子说:"一个人大言不惭,那么实际去做就困难了。"

【注释】

① 怍(zuò 作):惭愧。这里是形容好说大话,虚夸,而不知惭愧的人。这种人善于吹嘘,自然就难以实现他所说的话。

陈成子弑简公①。孔子沐浴而朝②,告于哀公曰:"陈恒弑其君,请讨之。"公曰:"告夫三子③。"孔子曰:"以吾从大夫之后④,不敢不告也。君曰'告夫三子'者!"之三子告⑤,不可。孔子曰："以吾从大夫之后,不敢不告也。"

【今译】

陈成子杀了齐简公,孔子[得知]马上沐浴上朝,向鲁哀公报告说:"陈恒弑其君主,请出兵讨伐。"哀公说:"去报告三位大夫吧!"孔子说:"因为我曾经当过大夫,不敢不来报告。君主却说'去报告三位大夫吧!'"[孔子]到三位大夫那里去报告,他们表示不可以[出兵]。孔子[又]说:"因为我曾当过大夫,不敢不来报告。"

【注释】

①　陈成子:齐国大夫陈恒,又名田成子。他在齐国用大斗借粮、小斗收粮的方法,获得百姓拥护。政治上逐渐取得优势后,在公元前481年(鲁哀公十四年)杀死齐简公,掌握了齐国政权。此后的齐国在历史上也称"田齐"。　简公:齐简公,姓姜,名壬。公元前484—前481年在位。

②　沐浴:洗头,洗澡。指上朝前表示尊敬与严肃而举行的斋戒。

③　告夫三子:"三子",指季孙氏、孟孙氏、叔孙氏。因当时的季孙、孟孙、叔孙权势很大,实际操纵鲁国政局,鲁哀公不敢作主,故叫孔子去报告这三位大夫。

④　从大夫之后:犹言我过去曾经当过大夫。参阅《先进篇第十一》第八章注。

⑤　之:去,往,到。

子路问事君。子曰:"勿欺也,而犯之①。"

【今译】

子路问怎样事奉君主。孔子说:"不要欺骗他,而要犯颜直言规劝他。"

【注释】

①　犯:触犯,冒犯。这里引申为对君主犯颜净谏。

子曰:"君子上达,小人下达①。"

【今译】

孔子说:"君子向上,通达于仁义;小人向下,通达于财利。"

【注释】

① 上达,下达:古今学者解释各有不同:一,君子通达于仁义,小人通达于财利。二,上达指渐进而上,下达指渐流而下。有"君子天天长进向上,小人日日沉沦,每况愈下"之意。三,君子循天理,故日进乎高明;小人徇人欲,故日究乎污下。四,君子追求高层次的通达,小人追求低层次的通达。五,君子上达达于道,小人下达达于器。本书取第一说。其馀供参考。

子曰:"古之学者为己,今之学者为人。"

【今译】

孔子说:"古代学习的人,是为了[充实提高]自己;现在学习的人,是为了[装饰门面做样子]给别人看。"

蘧伯玉使人于孔子①,孔子与之坐而问焉,曰:"夫子何为?"对曰:"夫子欲寡其过而未能也。"使者出,子曰:"使乎! 使乎!"

【今译】

蘧伯玉派使者去看望孔子,孔子让他坐下,问道:"蘧老先生[近来]在做些什么?"使者回答说:"他老先生想少犯些错误,却常感觉没能做到。"使者走了以后,孔子说:"好使者啊! 好使者啊!"

【注释】

① 蘧(qú 渠)伯玉:姓蘧,名瑗,字伯玉,卫国大夫。孔子去卫国时,曾住在他家里。当时,蘧伯玉是有名的有道德修养的人,古人对他颇多赞誉,如"蘧伯玉年五十而知四十九年非"(《淮南子·原道训》),"蘧伯玉行年六十而六十化"(《庄子·则阳篇》)。所谓化就是"与日俱新,随年变化"(郭

庆藩《庄子集释》)之意。从本章所叙也可看出：使者说的话很谦卑，而由此却越能显出蘧伯玉善于改过的贤德。

子曰："不在其位，不谋其政①。"曾子曰②："君子思不出其位③。"

【今译】

孔子说："不在那个职位，就不要过问那方面的政事。"曾子说："君子考虑事情，不超出他职位的范围。"

【注释】

① "不在"句：已见前《泰伯篇第八》第十四章，可参阅。

② 曾子：曾参。参阅《学而篇第一》第四章注。

③ "君子"句：本句也见于《周易·艮卦·象辞》："君子以思不出其位。"

子曰："君子耻其言而过其行。"

【今译】

孔子说："君子以说得多做得少为可耻。"

子曰："君子道者三，我无能焉：仁者不忧，知者不惑，勇者不惧。"子贡曰："夫子自道也！"

【今译】

孔子说："君子之道有三条，我都没能做到：仁德的人不忧愁，智慧的人不迷惑，勇敢的人不畏惧。"子贡说："[这正是]老师您的自我表述啊！"

子贡方人①。子曰："赐也贤乎哉？夫我则不暇②。"

【今译】

子贡指责别人。孔子说:"赐呀,你就那么好吗? 要叫我呀,可没有那种闲功夫[指责别人]。"

【注释】

①　方:同"谤"。指责,说别人的坏处。一说,比长较短。句中的意思则是:子贡喜欢将人拿来做比较,评论其短长。

②　不暇:没有空闲的时间。

子曰:"不患人之不己知①,患其不能也。"

【今译】

孔子说:"不忧虑别人不知道自己[有长处好处],只忧虑自己无能。"

【注释】

①　患:忧虑,担心,怕。

子曰:"不逆诈①,不亿不信②,抑亦先觉者,是贤乎!"

【今译】

孔子说:"事前不预先怀疑别人欺诈,不主观猜测别人不诚实,[但若遇上欺诈情伪的人]却也能及早地发现察觉,这样的人该是贤人吧!"

【注释】

①　逆:预先,预测。

②　亿:同"臆"。主观推测,猜测。

微生亩谓孔子曰①:"丘,何为是栖栖者与②? 无乃为佞乎③?"孔子曰:"非敢为佞也,疾固也。"

【今译】

微生亩对孔子说:"孔丘,你为什么做一个这样忙碌不安[到处游说]的人呢? 岂不成了花言巧语的人吗?"孔子说:"我不敢花言巧语,而是厌恨那些固执的人。"

【注释】

① 微生亩:姓微生,名亩。传说是一位年长的隐士。一作"尾生亩"。又说,即微生高。

② 栖栖(xī 西):忙碌不安,到处奔波不安定的样子。

③ 佞:花言巧语,能言善辩,卖弄口才。

子曰:"骥不称其力①,称其德也②。"

【今译】

孔子说:"千里马,值得称赞的不是它[善跑]的气力,称赞的是它的品质。"

【注释】

① 骥(jì 计):古代称善跑的千里马。

② 德:这里指千里马能吃苦耐劳的优良品质。

或曰:"以德报怨何如①?"子曰:"何以报德? 以直报怨,以德报德。"

【今译】

有人说:"用恩德来报答仇怨,如何呢?"孔子说:"[那么]用什么来报答恩德呢? [应该]以公平无私来对待仇怨,用恩德来报答恩德。"

【注释】

① 以德报怨:"德",恩惠,恩德。"怨",怨恨,仇怨。这话可能是当时的俗语。《老子》:"大小多少,报怨以德。"这是老子哲学中一种调和化解矛盾的思想。孔子对这种思想提出了批评。

子曰:"莫我知也夫①!"子贡曰:"何为其莫知子也②?"子

曰:"不怨天,不尤人③,下学而上达。知我者其天乎!"

【今译】

孔子说:"没有人了解我啊!"子贡说:"为什么会没有人了解您呢?"孔子说:"[我]不埋怨天,不责备人,下学人事,上达天命。了解我的大概只有天吧!"

【注释】

① 莫我知:即"莫知我"的倒装。没有人知道、了解我。

② 何为:为何。

③ 尤:责怪,归咎,怨恨。

公伯寮愬子路于季孙①。子服景伯以告②,曰:"夫子固有惑志于公伯寮,吾力犹能肆诸市朝③。"子曰:"道之将行也与,命也;道之将废也与,命也。公伯寮其如命何?"

【今译】

公伯寮对季孙说子路的坏话。子服景伯把这事告知孔子,并说:"[季孙]老先生已经被公伯寮迷惑住了,我的力量还能[设法把真相辨明,杀掉公伯寮]把他的尸首摆到街市上去示众。"孔子说:"我的道能得到实行,是天命;我的道被废掉,也是天命。公伯寮能把天命怎么样?"

【注释】

① 公伯寮:字子周。《史记·仲尼弟子列传》作"公伯僚"。一作"缭"。孔子的弟子。曾任季氏家臣。政治上的投机分子。 愬(sù 素):同"诉"。诬谤,告发,背后说人的坏话。

② 子服景伯:姓子服,名何,字伯,"景"是死后谥号。鲁国大夫。

③ 肆:指处以死刑后陈尸示众。 市朝:被处死的罪犯中,自士以下的,陈尸于市集;自大夫以上的,陈尸于朝廷。

子曰:"贤者辟世①,其次辟地,其次辟色,其次辟言。"子曰:

"作者七人矣②。"

【今译】

孔子说:"贤人避开社会而隐居;其次是[离开乱国]避到别的地方去;再其次是避开别人难看的脸色;再其次是避开难听的恶言。"孔子[又]说:"这样做的已经有七人了。"

【注释】

① 辟世:指不干预世事而隐居。"辟",同"避"。避开。

② 七人:指传说中的七位贤人隐士。具体所指其说不一。有的说是:伯夷,叔齐,虞仲(太公),夷逸,朱张,柳下惠,少连。有的说是:长沮,桀溺,荷蓧丈人,石门守门者,荷蒉者,仪封人,楚狂接舆。不可确考。

子路宿于石门①。晨门曰:"奚自②?"子路曰:"自孔氏。"曰:"是知其不可而为之者与?"

【今译】

子路在石门住宿。早晨值班看守城门的人问:"你从哪里来?"子路说:"从孔氏那儿。"[守城门的人]说:"是那个明知做不成而偏要坚持去做的人吗?"

【注释】

① 石门:鲁国都城(曲阜)外城的城门。一说,曲阜共有七个城门,南边的第二个门就叫石门。孔子第二次周游列国,道不能行,于六十八岁时,结束了他十四年的游说生活,率弟子们回鲁国的老家。子路打前站,先到石门,已天晚,在城门外住了一宿。

② 奚自:"自奚"的倒装。从哪里来。

子击磬于卫①,有荷蒉而过孔氏之门者②,曰:"有心哉,击磬乎!"既而曰③:"鄙哉,硁硁乎④! 莫己知也⑤,斯己而已矣。'深则厉,浅则揭'⑥。"子曰:"果哉! 末之难矣。"

【今译】

孔子在卫国,有一天正在敲着磬,有位挑着草筐的人从孔子门口经过,说:"有[忧世的]心思啊,敲磬吧!"过了一会儿,又说:"鄙陋啊,那硁硁的声音,好像表明没有人了解自己;[既然没人了解]那么自己就[停止]算了吧。[人生好像趟水,《诗经》上有句比喻的话:]'水深,就穿着衣服趟过去;水浅,就撩起衣服趟过去。'"孔子说:"说得真果断坚决啊![如果真像趟水那样]就没有什么困难了。"

【注释】

①　磬(qìng 庆):古代一种打击乐器,形状像曲尺,用玉或美石制成。

②　荷蒉:"荷(hè 贺)",背,扛,担负。"蒉(kuì 愧)",草编的筐。《高士传》:荷蒉者,卫人也,避乱不仕,自匿姓名,故荷草器而自食其力也。

③　既而:不久,一会儿。

④　硁硁(kēng 坑):象声词。击石声。这里用来形容敲磬的声音。

⑤　莫己知也:即"莫知己也"。

⑥　"深则厉"句:出自《诗经·邶风·匏有苦叶》:"匏有苦叶,济有深涉。深则厉,浅则揭。"大意是说:大葫芦叶儿枯黄已经成熟,济水上有个看上去水挺大的渡口。如果水深,就穿着衣服下水过去;如果水浅,就撩起衣服趟过去。这里"荷蒉者"以涉水为喻,讥孔子不知己而不止,不能适浅深之宜。

　　子张曰:"《书》云:'高宗谅阴,三年不言。'①何谓也?"子曰:"何必高宗,古之人皆然。君薨②,百官总己以听于冢宰三年③。"

【今译】

　　子张说:"《尚书》上说:'殷高宗居丧守孝,住在凶庐,三年不问政事。'为何这样呢?"孔子说:"何必高宗这样,古人都这样。君主死了,文武百官总摄自己的职事都要听命于冢宰三年之久。"

① "高宗"句:出自《尚书·无逸》篇。"高宗",殷王武丁,为商代王朝第十一世的贤王。他即位后,用奴隶傅说(yuè 悦)为相,又得贤臣甘盘辅佐,国家大治。武丁在位时,是殷王朝最隆盛的时代。"谅阴",也写作"亮阴","谅暗","梁暗"。传统的读法是 liáng ān(良安)。其意历来学者说法各异:一,"亮",同"谅",诚信。"阴",沉默。指武丁即王位之初,怀着满心的诚信,态度沉默,三年之中不大讲话。二,指武丁遭遇父丧,三年居丧守孝。后世帝王居丧守孝还沿称"谅阴"。三,指居丧时所住的房子。这种房子,只用一根梁作屋脊,周围没有楹柱,上边铺上茅草作檐,下垂于地。整个房子没有门窗,光线很暗。故称"梁暗"。此取第三说。"不言",指不大过问政事。

② 薨(hōng 轰):周代诸侯之死叫"薨"。

③ 冢(zhǒng 肿)宰:商代官名,相当于后世的宰相。

子曰:"上好礼则民易使也①。"

【今译】

孔子说:"在上位的人好礼,人民就容易听从役使了。"

【注释】

① 使:使唤,役使。

子路问君子。子曰:"修己以敬。"曰:"如斯而已乎?"曰:"修己以安人①。"曰:"如斯而已乎?"曰:"修己以安百姓。修己以安百姓,尧舜其犹病诸②!"

【今译】

子路问怎样才是君子。孔子说:"修养自己,保持严肃恭敬的态度。"[子路]说:"像这样就够了吗?"[孔子]说:"修养自己,使贵族、大夫们安乐。"[子路]说:"像这样就够了吗?"[孔子]说:"修养自己,使全体百姓安乐。修养自己,使全体老百姓安乐,尧舜尚且担心做不到哩!"

【注释】

① 人:与"己"相对。这里当指士大夫以上的贵族、上层人士。比下面的"百姓"所指范围要窄。

② 病:担心,忧虑。

原壤夷俟①。子曰:"幼而不孙弟②,长而无述焉③,老而不死,是为贼④。"以杖叩其胫⑤。

【今译】

原壤左右伸腿叉开两只脚坐在地上等[孔子]。孔子说:"你年幼时不讲孝悌,长大了没有作为,老了还不死,简直是个害人的贼。"[说着]就用手杖敲了敲原壤的小腿[让他把腿收回去]。

【注释】

① 原壤:鲁国人,据说是周文王第十六子原伯的后人,是孔子多年的老朋友。《礼记·檀弓》记载:原壤的母亲死了,孔子去帮助他治丧,他却站在棺材上大声歌唱。孔子假装没听见,不去理会。跟从的人看不下去了,就劝孔子别帮原壤料理丧事了。孔子认为,无论如何,亲总是亲,故总是故,看在老朋友的分上,该帮他料理丧事,还要帮他料理。不过,孔子确也认为原壤是不礼不敬不近人情的。 夷:指"箕踞",即屁股坐地,两条腿左右斜伸出去,叉开两只脚呈八字形。因像只簸箕故称。古人认为,以这种姿态坐在地上是一种轻慢无礼的表现。 俟(sì 四):等待。

② 孙:同"逊"。 弟:同"悌"。

③ 长:长大,年长。 无述:无作为,没成就,没贡献。

④ "老而"句:这句话孔子是专对原壤一人而发,有恨铁不成钢的意思。"贼",指为害社会的坏人。后世有人断章取义,把这句话连起来说成"老而不死是为贼",误以为是孔子对老年人的一种侮骂。这显然与孔子本来的意思截然不同。

⑤ 胫(jìng 竞):小腿。

阙党童子将命①。或问子曰:"益者与?"子曰:"吾见其居于位也②,见其与先生并行也③。非求益者也,欲速成者也。"

【今译】

阙党地方的一个儿童来向孔子传信。有人问孔子:"[这儿童]是要求上进的人吗?"孔子说:"我见他坐在成年人的位子上,又见他与长辈并肩而行。他不是要求上进的人,而是一个想急于求成的人。"

【注释】

① 阙(què 确)党:鲁国地名,在今山东省曲阜市境内。一说,即"阙里",是孔子的家乡。 将(jiāng 江)命:传达信息,传话。

② 居于位:坐在席位上。按古代礼节,大人可以有正式的席位就坐,儿童没有席位。可是,这位童子却与大人一起坐在席位上,可见其不知礼。

③ 先生:这里是对年长者、长辈的尊称。

卫灵公篇第十五

主要记孔子及其弟子在周游列国时所论的以仁德治国的道理。

卫灵公问陈于孔子①。孔子对曰："俎豆之事②，则尝闻之矣③；军旅之事，未之学也。"明日遂行④。

【今译】

卫灵公向孔子问军队怎样列阵。孔子回答说："礼节仪式方面的事，我曾听说一些；军队作战方面的事，我没学过。"第二天，[孔子]就离开了卫国。

【注释】

① 陈：同"阵"。军队作战布列阵势。

② 俎豆之事：指礼节仪式方面的事。"俎（zǔ 祖）"，古代祭祀宴享，用以盛放牲肉的器具。"豆"，古代盛食物的器具，似高脚盘。二者都是古代祭祀宴享用的礼器。

③ 尝：曾经。

④ 遂行：就走了。孔子主张礼治，反对使用武力。见卫灵公无道，而又有志于战伐，不能以仁义治天下，故而未答"军旅之事"，第二天就离开了卫国。

在陈绝粮，从者病①，莫能兴②。子路愠见曰③："君子亦有穷乎？"子曰："君子固穷④，小人穷斯滥矣⑤。"

[孔子与弟子们]在陈国某地断绝了粮食,随从的人饿坏了,不能起身行走。子路满脸恼怒,来见[孔子]说:"君子也有困厄的时候吗?"孔子说:"君子困厄时尚能安守,小人困厄了就不约束自己而胡作非为了。"

【注释】

① 病:苦,困。这里指饿极了,饿坏了。

② 兴:起来,起身。这里指行走。

③ 愠(yùn 运):恼怒,怨恨。

④ 固:安守,固守。

⑤ 滥:像水一样漫溢、泛滥。比喻人不能检点约束自己,什么事都干得出来。

子曰:"赐也①,女以予为多学而识之者与②?"对曰:"然。非与?"曰:"非也,予一以贯之③。"

【今译】

孔子说:"端木赐呀,你以为我是学习了很多而又一一记住的吗?"[端木赐]回答说:"是的。不是这样吗?"[孔子]说:"不是的。我是用一个基本的思想观念来贯穿它们的。"

【注释】

① 赐:端木赐,字子贡。

② 女:同"汝"。你。

③ 以:用。 一:一个基本的原则、思想。孔子这里指的是"忠恕"之道。 贯:贯穿,贯通。

子曰:"由,知德者鲜矣①。"

【今译】

孔子说:"仲由,懂得道德的人少啊。"

① 鲜(xiǎn 险):少。因为道德必须由自身加强学习与修养,日积月累,长期努力,才能将其义理得之于心,见之于行,故孔子说"知德者鲜"。

子曰:"无为而治者①,其舜也与? 夫何为哉? 恭己正南面而已矣②。"

【今译】

孔子说:"好像无所作为而使天下得到治理的,大概只有虞舜吧? 他做了些什么呢? 他只是恭敬郑重地脸朝南面[坐着]而已。"

【注释】

① 无为而治:"无为",无所作为。据传,舜当政时,一切沿袭尧的旧法来治国,似乎没有什么新的改变和作为,而使天下太平。后泛指以德化民,无事于政刑。朱熹《四书集注》说:"圣人德盛而民化,不待其有所作为也。独称舜者,绍尧之后,而又得人以任众职,故尤不见有为之迹也。"

② 南面:古代传统礼法,王位总是坐北朝南的。

子张问行,子曰:"言忠信,行笃敬,虽蛮貊之邦①,行矣。言不忠信,行不笃敬,虽州里②,行乎哉? 立则见其参于前也③,在舆则见其倚于衡也④,夫然后行。"子张书诸绅⑤。

【今译】

子张问[自己的主张]如何能行得通。孔子说:"说话忠诚守信,行为敦厚恭敬,即使在蛮貊地区,也行得通。说话不忠信,行为不笃敬,即使在本乡州里,能行得通吗? ["忠信笃敬"这几个字]站着,仿佛看见它直立在眼前;坐车,仿佛看见它依靠在车辕的横木上。这样做了以后就能行得通。"子张[把孔子的话]写在自己的衣带上。

【注释】

① 蛮：南蛮，泛指南方边疆少数民族。 貊(mò 墨)：北狄，泛指北方边疆少数民族。

② 州里：古代二千五百家为州。五家为邻，五邻为里。这里代指本乡本土。

③ 参：本意为直、高。这里引申为像一个高大的东西直立在眼前。

④ 舆(yú 余)：车。 倚：依靠在物体或人身上。 衡：车辕前的横木。

⑤ 书诸绅：即"书之于绅"。"绅"，系在腰间下垂的宽大的衣带。把警句、格言写在腰间的大带子上，一低头就能看到，从而时时提醒自己，指导自己的言行。这是古人一种加强自我修养的方法。

子曰："直哉史鱼①！邦有道如矢，邦无道如矢。君子哉蘧伯玉②！邦有道则仕，邦无道则可卷而怀之。"

【今译】

孔子说："史鱼真正直啊！国家有道，[他的言行]像[射出的]箭头一样刚直；国家无道，也像箭头一样刚直。蘧伯玉真是一位君子啊！国家有道时，出来做官；国家无道时，[把正确主张]收起来辞官隐居。"

【注释】

① 史鱼：卫国大夫，名鰌(qiū 丘)，字子鱼。他曾多次向卫灵公推荐贤臣蘧伯玉，未被采纳。史鱼病危临终时，嘱咐儿子，不要"治丧正堂"，用这种做法再次劝告卫灵公一定要进用蘧伯玉，而贬斥奸臣弥子瑕。等卫灵公采纳实行之后，才"从丧北堂成礼"。史鱼这种正直的行为，被古人称为"尸谏"(事见《孔子家语》及《韩诗外传》)。

② 蘧伯玉：参见《宪问篇第十四》第二十五章注。

子曰："可与言而不与之言，失人；不可与言而与之言，失言。

知者不失人^①,亦不失言。"

【今译】

孔子说:"可以与他说话却不与他说,就会失掉友人错过人才;不可与他说话却与他说,就是浪费言语。聪明人既不失掉友人错过人才,也不浪费言语。"

【注释】

① 知:同"智"。智者,聪明人。

子曰:"志士仁人,无求生以害仁^①,有杀身以成仁^②。"

【今译】

孔子说:"有志之士,仁义之人,不能为求得保住生命而损害仁,而应为做到仁献出生命。"

【注释】

① · 求生:贪生怕死,为保活命苟且偷生。
② 杀身:勇于自我牺牲,为仁义当死而死,心安德全。

子贡问为仁,子曰:"工欲善其事^①,必先利其器^②。居是邦也,事其大夫之贤者^③,友其士之仁者。"

【今译】

子贡问怎样实行仁德。孔子说:"工匠要把活儿干得好,必须先把工具弄得精良合用。[要实行仁德,]住在一个国家,就要事奉大夫中有贤德的人,与士中有仁德的人交朋友。"

【注释】

① 善:用作动词。做好,干好,使其完善。
② 利:用作动词。搞好,弄好,使其精良。
③ 事:事奉,为……服务。

颜渊问为邦①,子曰:"行夏之时②,乘殷之辂③,服周之冕④,乐则《韶》《舞》⑤,放郑声⑥,远佞人⑦。郑声淫,佞人殆⑧。"

【今译】

颜渊问怎样建设国家。孔子说:"遵行夏代的历法,驾乘殷代的车子,戴周代的礼帽,奏《韶乐》、《舞乐》,禁止郑国的乐曲,疏远花言巧语善于狡辩的小人。郑国的乐曲不正派,花言巧语的小人危险。"

【注释】

① 为:建设,治理。 邦:邦国,诸侯国。

② 夏之时:"时",时令,时节。此指历法。夏之时,就是沿用至今的夏历(又称阴历,农历)。周历建子(以夏历十一月为正月),殷历建丑(以夏历十二月为正月),夏历建寅(以建寅之月的朔日为岁首),而夏历最合于农时,有利于农业生产,故孔子主张推行夏历。

③ 乘殷之辂:"辂(lù 路)",古代的大车。旧说殷代的大车木质而无饰,最俭朴实用,故孔子提倡"乘殷之辂"。

④ 服周之冕:"冕",礼帽。旧说周代的礼帽体制完备而华美,而孔子是一向提倡礼服应讲究、华美的,故要说"服周之冕"。

⑤ 韶:舜时音乐。 舞:同《武》。周武王时音乐。参阅《八佾篇第三》第二十五章注。

⑥ 放:驱逐,排斥,禁止。 郑声:郑国的民间音乐。郑国民间音乐形式活泼,与典雅板滞的古乐有很大不同。孔子难以接受,认为它多靡靡之音,故主张"放郑声"。

⑦ 远:作动词用。疏远。

⑧ 殆:危险。

子曰:"人无远虑,必有近忧①。"

【今译】

孔子说:"人没有对将来的考虑,必定会有近在眼前的忧患。"

【注释】

① 远,近:指时间。犹言未来,目前。一说,指地方。朱熹说:"人之所履者,容足之外,皆为无用之地,而不可废也。故虑不在千里之外,则患在几席之下矣。"

子曰:"已矣乎,吾未见好德如好色者也①。"

【今译】

孔子说:"罢了啊,我没见过爱慕德行像爱慕美色[那样热切]的人。"

【注释】

① 本章文字与《子罕篇第九》第十八章略同,可参阅。

子曰:"臧文仲其窃位者与①? 知柳下惠之贤②,而不与立也③。"

【今译】

孔子说:"臧文仲大概是个窃据官位的人吧? 明知柳下惠是贤人,却不给他官位。"

【注释】

① 臧文仲:即臧孙辰。鲁国大夫,历仕鲁庄公、鲁闵公、鲁僖公、鲁文公四朝。知贤而不举,故孔子批评他"不仁","窃位"。参见《公冶长篇第五》第十八章注。 窃位:窃据高位,占有官位而不称职、不尽责。

② 柳下惠:本姓展,名获,字禽,又名展季。他的封地(一说是居处)叫"柳下";死后,由他的妻子倡议,给他的"私谥"(并非由朝廷授予的谥号)叫"惠",故称"柳下惠"。春秋中期的贤者,鲁国大夫,曾任"士师"(掌管刑狱的官员)。以讲究礼节而著称。

③ 与立:即"与之并立于朝",给予官位。一说,"立"同"位"。"与立",即"与位"。

子曰:"躬自厚而薄责于人①,则远怨矣②。"

【今译】

孔子说:"自己多责备自己而少责备别人,就可以避开怨恨了。"

【注释】

① 躬自厚:意为责己要重,应多多反省责备自己。"躬",自身。"厚",这里指厚责,重责。 薄责于人:意为待人要宽,要行恕道,少挑剔责备别人。"薄责",轻责,少责备。

② 远:远离,避开。

子曰:"不曰'如之何,如之何'者①,吾末如之何而已矣②。"

【今译】

孔子说:"不说'怎么办,怎么办'的人,我[对这种人]也没办法啊。"

【注释】

① 如之何:犹言怎么办。孔子这里的意思是:做事一定要经过深思熟虑,多问几个"该怎么办"。因为只有深忧远虑的人,才能真正想出解决问题的好办法。

② 末如之何:犹言没办法。"末",没。

子曰:"群居终日,言不及义,好行小慧,难矣哉!"

【今译】

孔子说:"众人整天聚在一处,说的话从不涉及义理,还好卖弄一点小聪明,[对这种人]真难[教育]啊!"

子曰:"君子义以为质①,礼以行之,孙以出之②,信以成之。

君子哉!"

【今译】

孔子说:"君子以义为根本,以礼法来实行[义],以谦逊的语言来表达[义],以忠诚的态度来完成[义],这就是君子啊!"

【注释】

① 质:本意为本质、质地。引申为基本原则,根本。

② 孙:同"逊"。 出:出言,表达。

子曰:"君子病无能焉①,不病人之不己知也。"

【今译】

孔子说:"君子只忧虑[自己]没有才能,不忧虑别人不知道自己。"

【注释】

① 病:担心,忧虑。

子曰:"君子疾没世而名不称焉①。"

【今译】

孔子说:"君子就怕死后没有[好的]名声被人称颂。"

【注释】

① 疾:恨,怕,感到遗憾。 没世:终身,死。 称:称述,称道。

子曰:"君子求诸己①,小人求诸人。"

【今译】

孔子说:"君子要求自己,小人要求别人。"

【注释】

① 求:要求。一说,求助,求得。则此章意为:君子一切求之于自己,小人一切求之于他人。

子曰:"君子矜而不争①,群而不党②。"

【今译】

孔子说:"君子庄重矜持而不同别人争执,合群而不结党营私。"

【注释】

① 矜(jīn 今):庄重,矜持,慎重拘谨。

② 党:结党营私,拉帮结伙,搞小宗派。

子曰:"君子不以言举人,不以人废言。"

【今译】

孔子说:"君子不仅根据言论推举选拔人才,也不因某人有缺点错误而废弃他的言论。"

子贡问曰:"有一言而可以终身行之者乎?"子曰:"其'恕'乎! 己所不欲,勿施于人。"

【今译】

子贡问道:"有一个字而可以终身奉行的吗?"孔子说:"那就是'恕'吧! 自己不愿意的,不要加给别人。"

子曰:"吾之于人也, 谁毁谁誉①? 如有所誉者, 其有所试矣。斯民也,三代之所以直道而行也②。"

【今译】

孔子说:"我对于别人,诋毁过谁? 赞誉过谁? 如有所赞誉,那是经过实践考验过的。夏商周三代如此[大公无私地]用民,所以能按正直之道行事。"

【注释】

① 毁:诋毁。指称人之恶而失其真。　誉:赞誉,溢美。指扬人之

202

善而过其实。

②　"斯民也"句："斯"，此，如此。"民"，指用民。"三代"，指夏、商、周。此句是说如此用民，无所偏私，这就是三代能按正直之道行事的原因。

子曰："吾犹及史之阙文也①，有马者借人乘之②。今亡矣夫。"

【今译】

孔子说："[早年]我还能看到史官存疑的阙文，有马的人把马借给别人骑。[这些]今天没有了啊。"

【注释】

①　史之阙文："阙"，同"缺"。指缺疑，存疑。史官记载历史，对于有疑问(缺乏确凿根据)的事，缺而不录，抱存疑态度，故有"阙文"。一说，写史的书吏，遇到可疑的字，存疑待问，宁可把缺少的字空起来，也不创造新字，不妄以己意另写别的字来代替。

②　借：借出，把自己的东西暂时给别人使用。句意为：有马的人不敢自私，而愿借给别人骑。一说，"借"，借助。句意为：有马的人，不会驾驭(训练)自己的马，而借助善驯马的人来调习训练。"史阙文"与"马借人"这两句话，看来意义不够连贯。有的学者推测"有马者"句可能是衍文；也有的学者认为，这两件事均说明古人淳厚朴实，与孔子时的人情浇薄不同，故孔子伤叹。可参。

子曰："巧言乱德。小不忍则乱大谋。"

【今译】

孔子说："花言巧语会败坏道德。小事上不能忍耐就会坏了大事。"

子曰："众恶之，必察焉；众好之，必察焉。"

【今译】

孔子说:"众人都厌恶他,一定要仔细考察详情原因;众人都喜欢他,一定要仔细考察详情原因。"

子曰:"人能弘道①,非道弘人。"
【今译】

孔子说:"人能够弘扬道,不是道能弘扬人。"
【注释】

①　弘(hóng 红):弘扬,光大。

子曰:"过而不改①,是谓过矣。"
【今译】

孔子说:"有过错而不改,这才真叫做过错呢。"
【注释】

①　改:改正,纠正。孔子主张:过而能改,复于无过。有些人犯错误,起初是无心的,只要能改,就没有错了;如坚持不肯改正,那才是真正的错误。

子曰:"吾尝终日不食,终夜不寝,以思,无益,不如学也。"
【今译】

孔子说:"我曾经整天的不吃饭,整夜的不睡觉,去冥思苦想,[结果]没有什么益处,还不如去学习呢。"

子曰:"君子谋道不谋食。耕也,馁在其中矣①;学也,禄在其中矣②。君子忧道不忧贫。"
【今译】

孔子说:"君子谋求学道行道,不谋求衣食。耕田,未必不挨

204

饿;学习知识,则可以获得俸禄。君子担忧道[学不成或不能行],不担忧贫穷。"

【注释】

① 馁:饥饿。

② 禄:做官的俸禄。

子曰:"知及之①,仁不能守之,虽得之,必失之。知及之,仁能守之,不庄以莅之②,则民不敬。知及之,仁能守之,庄以莅之,动之不以礼③,未善也。"

【今译】

孔子说:"依靠聪明才智得到的[职位、政权],[如果]不能用仁德去守住它,虽然得到,也必定会失去它。依靠聪明才智得到的,能够用仁德去守住它,[但如]不用庄重严肃的态度去认真治理百姓,百姓也不会敬服。依靠聪明才智得到的,能用仁德去守住它,又能用庄重严肃的态度去认真对待,[但是]行动不符合礼义,也不能算是完善的。"

【注释】

① 知:同"智"。聪明,才智。

② 莅(lì 立):到,临。这里指临民,即掌握政权,治理百姓。

③ 动之:"动",行动。"之",语助词,无义。孔子认为,治理天下,智、仁、庄、礼,四者缺一不可,只用智,其失在荡;只用仁,其失在宽;只用庄,其失在猛;所以必须用礼来调和。

子曰:"君子不可小知而可大受也①,小人不可大受而可小知也。"

【今译】

孔子说:"对君子,不可让他只做小事情,而可让他接受重大任务；对小人，不可让他接受重大任务，而可让他做些小事情。"

【注释】

① 小知："知"，主持，主管。小知，即任用做小事情，管小范围内的具体事务。一说，"知"，了解，识别。小知，即从小处、从任用做小事情上，去了解、识别。

子曰："民之于仁也，甚于水火，水火吾见蹈而死者矣，未见蹈仁而死者也①。"

【今译】

孔子说："人民对于仁德，比对水火更急切需要；[但是]我见过溺水蹈火而死的，却没见过实践仁德而死的。"

【注释】

① 蹈(dǎo 岛)：踏，踩，投入。引申为追求，实行，实践。朱熹《四书集注》说："民之于水火，所赖以生，不可一日无。其于仁也亦然。但水火外物，而仁在己。无水火，不过害人之身，而不仁则失其心。是仁有甚于水火，而尤不可以一日无者也。况水火或有时而杀人，仁则未尝杀人，亦何惮而不为哉？"可见本章精神在于"勉人为仁"。

子曰："当仁不让于师。"

【今译】

孔子说："面对着合于仁德的事，即使对老师，也不必谦让。"

子曰："君子贞而不谅①。"

【今译】

孔子说："君子坚定执着于正道，而不固执拘泥于讲小信。"

【注释】

① 贞：正，固守正道，恪守节操。 谅：信，守信用，固执。本章与孔子所说"言不必信，行不必果"同一意思。可参阅《子路篇第十三》第二十

206

章。

子曰："事君，敬其事而后其食①。"

【今译】

孔子说："事奉君主，要恭敬谨慎地办事，而把领取俸禄的事往后放。"

【注释】

① 食：食禄，俸禄，官吏的薪水。

子曰："有教无类①。"

【今译】

孔子说："对谁都进行教育，不分[贫富、智愚的]类别。"

【注释】

① 无类：不分类，没有富贵贫贱、天资优劣智愚、等级地位高低、地域远近、善恶不同等等的区别与限制。孔子提倡全民教育，希望教育所有的人而同归于善。他的弟子中，富有的(如冉有，子贡)，贫穷的(如颜回，原思)，地位高的(如孟懿子为鲁国贵族)，地位低的(如子路为卞之野人)，鲁钝一点的(如曾参)，愚笨一点的(如高柴)，各种人都有。

子曰："道不同①，不相为谋。"

【今译】

孔子说："主张不同，不能互相谋划商讨。"

【注释】

① 道：道路，主张，所追求的目标。

子曰："辞达而已矣。"

【今译】

孔子说："言辞足以表达意思就行了。"

师冕见①,及阶,子曰:"阶也。"及席,子曰:"席也。"皆坐,子告之曰:"某在斯,某在斯。"师冕出,子张问曰:"与师言之道与?"子曰:"然,固相师之道也②。"

【今译】

师冕来见孔子,走到台阶边,孔子说:"这是台阶。"走到坐席边,孔子说:"这是坐席。"大家都坐下后,孔子告诉他说:"某人在这里,某人在那里。"师冕走了以后,子张问:"这就是与乐师讲话的方式方法吗?"孔子说:"是的,诚然是帮助乐师的方式方法。"

【注释】

①　师:指乐师。一般是盲人。　冕:盲人乐师的名字。
②　相:帮助,辅助。

季氏篇第十六

主要记孔子论君子怎样修身、如何以礼法治国。

季氏将伐颛臾①。冉有、季路见于孔子曰②："季氏将有事于颛臾③。"孔子曰："求，无乃尔是过与④？夫颛臾，昔者先王以为东蒙主⑤，且在邦域之中矣，是社稷之臣也⑥。何以伐为⑦？"冉有曰："夫子欲之⑧，吾二臣者皆不欲也。"孔子曰："求！周任有言曰⑨：'陈力就列⑩，不能者止。'危而不持，颠而不扶，则将焉用彼相矣⑪？且尔言过矣。虎兕出于柙⑫，龟玉毁于椟中⑬，是谁之过与？"冉有曰："今夫颛臾，固而近于费⑭。今不取，后世必为子孙忧。"孔子曰："求！君子疾夫舍曰欲之而必为之辞⑮。丘也闻有国有家者，不患贫而患不均，不患寡而患不安⑯。盖均无贫，和无寡，安无倾。夫如是，故远人不服，则修文德以来之⑰。既来之，则安之。今由与求也，相夫子，远人不服，而不能来也；邦分崩离析⑱，而不能守也；而谋动干戈于邦内。吾恐季孙之忧，不在颛臾，而在萧墙之内也⑲。"

【今译】

季氏将要讨伐颛臾。冉有、子路去见孔子，说："季氏将对颛臾采取军事行动。"孔子说："冉求！这难道不该归咎于你吗？颛臾，过去周天子曾经授权它主持东蒙山的祭祀，而且就在鲁国的疆域之中，是我们鲁国共安危的臣属，为什么要讨伐它呢？"冉有说:"季孙大夫想这么做,我们二人作为家臣,都不想这么做。"孔子说:"冉求!周任曾有句话说:'能够施展自己的才力,就担任职务;实在做不到,就该辞职。'〔比如盲人〕遇到危险却不扶持拉住他,摔倒了却不挽扶他起来,那么,用你这助手做什么呢?而且你的话错了。老虎、犀牛从关它的笼子里跑了出来,占卜用的龟甲、祭祀用的玉器在木匣中被毁坏了,这是谁的过错呢?"冉有说:"如今颛臾城墙坚固,而且离费邑很近。现在不占领它,后世必然成为子孙的祸患。"孔子说:"冉求!君子厌恶那种嘴上不说'想得到它',一定要找个借口的人。我听说过,对于拥有国家的诸侯和拥有采邑的大夫,担心的不是贫穷,而是分配不均;担心的不是人少,而是社会不安定。因为财富分配均匀了,就无所谓贫穷;国内和睦团结了,就不显得人少势弱;社会安定了,国家就没有倾覆的危险。要是这样做了,远方的人还不归服,便提倡仁义礼乐道德教化,以招徕他们。〔远方的人〕已经来了,就使他安心住下来。现在仲由、冉求你们二人辅佐季康子,远处的人不归服,而不能招徕他们;国家四分五裂,而不能保全;反而打算在国境之内使用武力。我只怕季孙氏的忧患,不在颛臾,而在于宫殿的门屏之内呢。"

【注释】

① 季氏:即季孙氏,指季康子,名肥。鲁国大夫。 颛臾(zhuān yú 专鱼):附属于鲁国的一个小国,子爵。故城在今山东省费县西北八十里。

② 冉有,季路:孔子弟子。冉有即冉求,字子有,也称冉有。季路即仲由,字子路,因仕于季氏,又称季路。

③ 有事:这里指施加武力,采取军事行动。

④ 无乃:岂不是,恐怕是,难道不是。

⑤ 先王:鲁国的始祖周公(姬旦),系周武王(姬发)之弟,故这里称周天子为先王。 东蒙主:谓主祭东蒙山。"东蒙",即蒙山。因在鲁国东部,故称东蒙。在今山东省蒙阴县南四十里,与费县连接。"主",主持祭

祀。

⑥ 社稷之臣:国家的重臣。

⑦ 何以伐为:"何以",以何,为什么。"为",语气助词。相当于"呢"。为什么要讨伐他呢?

⑧ 夫子:古时对老师、长者、尊贵者的尊称。这里指季康子。

⑨ 周任:周朝有名的史官。

⑩ 陈力:发挥、尽量施展自己的才力。 就列:走上当官的行列,担任职务。

⑪ 相:辅佐,帮助。古代扶引盲人的人叫"相"。引申为助手。

⑫ 兕(sì四):古代犀牛类的野兽。或说即雌犀牛。 柙(xiá侠):关猛兽的木笼子。

⑬ 椟(dú毒):木制的柜子,匣子。

⑭ 费(bì毕):季氏的采邑。在今山东省费县西南,有费城。颛臾与费邑相距仅七十里,故说"近于费"。

⑮ 疾:厌恶,痛恨。 辞:托辞,借口。

⑯ "不患贫"句:原为"不患寡而患不均,不患贫而患不安",清代俞樾《群经平议》以为"寡"当作"贫","贫"当作"寡"。《春秋繁露·度制》和《魏书·张普惠传》引此文,都是"不患贫而患不均,不患寡而患不安"。据改。朱熹说:"均,谓各得其分;安,谓上下相安。"

⑰ 来:通"徕"。招徕,吸引,使其感化归服。

⑱ 分崩离析:"崩",倒塌。"析",分开。形容集团、国家等分裂瓦解,不可收拾。当时鲁国不统一,四分五裂,被季孙、孟孙、叔孙三大贵族所分割。

⑲ 萧墙之内:"萧墙",宫殿当门的小墙,或称"屏"。古代臣子进见国君,至屏而肃然起敬,故称"萧墙"。"萧"、"肃"古字通。这里用"萧墙",借指宫内。当时鲁国的国君鲁哀公名义上在位,实际上政权被季康子把持;这样发展下去,一旦鲁君不能容忍,必起内乱。故孔子含蓄地说了这话。

孔子曰:"天下有道,则礼乐征伐自天子出;天下无道,则礼乐征伐自诸侯出。自诸侯出,盖十世希不失矣①;自大夫出,五世希不失矣;陪臣执国命②,三世希不失矣。天下有道,则政不在大夫。天下有道,则庶人不议。"

【今译】

孔子说:"天下有道,制礼作乐,军事征伐,由天子作决定;天下无道,制礼作乐,军事征伐,由诸侯作决定。由诸侯作决定,大概传十代就很少有不丧失政权的;由大夫作决定,传五代就很少有不丧失政权的;由卿、大夫的家臣来掌握国家的命运,传上三代就很少有不丧失政权的。天下有道,国家政权不会落在大夫手里。天下有道,黎民百姓就不议论朝政了。"

【注释】

① "十世"句:"世",代。"十世",即十代。朱熹说:"先王之制,诸侯不得变礼乐,专征伐。""逆理愈甚,则其失之愈速。"因为天下无道,天子无实权,才会形成"礼乐征伐自诸侯出"的局面;再混乱,就会到"自大夫出"、"陪臣执国命"的地步。这样的政权当然不会巩固。"十世"及后面的"五世"、"三世"均为约数,只是说明逆理愈甚,则失之愈速。这也是孔子对当时各国政权变动实况进行观察研究而得出的结论。 希:同"稀"。少有。

② 陪臣:卿、大夫的家臣。

孔子曰:"禄之去公室五世矣①,政逮于大夫四世矣②,故夫三桓之子孙微矣③。"

【今译】

孔子说:"[鲁国的国君]失去国家政权有五代了,政权落在大夫[季孙氏]手里有四代了,所以,三桓的子孙就衰微了。"

【注释】

① 禄:爵禄。这里代指国家政权。 公室:指鲁国朝廷。 五世:五代。公元前 608 年,鲁文公死,大夫东门遂(襄仲)杀嫡长子子赤而立宣

212

公,掌握了鲁国政权。宣公死,政权实际上落在季氏手中。到孔子说这段话时,已又经鲁成公、鲁襄公、鲁昭公,到鲁定公,共五代。

② 逮:及,到。 四世:公元前591年,鲁宣公死,季文子驱逐了东门氏,此后,由季氏为正卿,掌握了鲁国政权。从文子,经武子、平子、桓子,到孔子说这段话时,正为四代。

③ 三桓:即鲁国的"三卿":季孙氏,叔孙氏,孟孙(即仲孙)氏。因这三家都是鲁桓公的后代,故称"三桓"。这三家一直掌握鲁国政权,到鲁定公时,曾出现"陪臣执国命"的局面,三桓势力一度衰弱。

孔子曰:"益者三友,损者三友。友直,友谅①,友多闻,益矣。友便辟②,友善柔③,友便佞④,损矣。"

【今译】

孔子说:"有益的朋友有三种,有害的朋友也有三种。与正直的人交友,与诚信的人交友,与见闻学识广博的人交友,是有益的。与习于歪门邪道的人交友,与善于阿谀奉承的人交友,与惯于花言巧语的人交友,是有害的。"

【注释】

① 谅:诚实。

② 便辟(pián pì 蹁僻):习于摆架子装样子,内心却邪恶不正。

③ 善柔:善于阿谀奉承,内心却无诚信。

④ 便佞(pián nìng 蹁泞):善于花言巧语,而言不符实。

孔子曰:"益者三乐,损者三乐。乐节礼乐,乐道人之善,乐多贤友,益矣。乐骄乐,乐佚游①,乐宴乐,损矣。"

【今译】

孔子说:"有益的快乐有三种,有损的快乐也有三种。以得到礼乐的调节陶冶为快乐,以称道别人的优点好处为快乐,以多交贤德的友人为快乐,是有益处的。以骄奢放肆为快乐,以闲佚

213

游荡为快乐，以宴饮纵欲为快乐，是有损害的。"

【注释】

① 佚:同"逸"。安闲，休息。

孔子曰:"侍于君子有三愆①:言未及之而言谓之躁,言及之而不言谓之隐②,未见颜色而言谓之瞽③。"

【今译】

孔子说:"侍奉君子容易有三种过失:〔君子〕还未说到,〔你〕就先说了,叫做急躁;〔君子〕已经说到,〔你〕还不说,叫做隐瞒;不看〔别人〕脸色而贸然说话,叫做瞎子。"

【注释】

① 愆(qiān 千):过失,差错,失误。

② 隐:隐瞒,有意缄默。

③ 瞽(gǔ 古):双目失明,盲人。这里比喻不能察言观色,说话不看时机就如盲人一样。

孔子曰:"君子有三戒:少之时,血气未定①,戒之在色;及其壮也,血气方刚,戒之在斗;及其老也,血气既衰,戒之在得②。"

【今译】

孔子说:"君子有三件事要警惕戒备:年轻时,血气还不成熟,要警惕贪恋女色;到了壮年时,血气正旺盛,要警惕争强好斗;到了老年时,血气已经衰弱,要警惕贪得无厌。"

【注释】

① 未定:未成熟,未固定。

② 得:泛指对于名誉、地位、钱财、女色等等的贪欲、贪求。

子曰:"君子有三畏①:畏天命,畏大人②,畏圣人之言。小人不知天命而不畏也,狎大人③,侮圣人之言。"

【今译】

孔子说:"君子有三畏:敬畏天命,敬畏在高位的人,敬畏圣人的话。小人不知天命而不畏,不尊重在上位的人,蔑视圣人的话。"

【注释】

① 畏:怕。这里指心存敬畏,敬服。要时时处处注意修身诫己,有敬慎之心。

② 大人:在高位的贵族、官僚。

③ 狎(xiá 侠):狎侮,轻慢,不尊重。

孔子曰:"生而知之者,上也;学而知之者,次也;困而学之,又其次也;困而不学,民斯为下矣。"

【今译】

孔子说:"生来就有知识,是上等;经过学习而有知识是次一等;遇到困难然后学习,是再次一等;遇到困难还不学习,这样的百姓就是下等了。"

孔子曰:"君子有九思:视思明,听思聪,色思温,貌思恭,言思忠,事思敬,疑思问,忿思难①,见得思义。"

【今译】

孔子说:"君子在九个方面多用心考虑:看,考虑是否看得清楚;听,考虑是否听得明白;脸色,考虑是否温和;态度,考虑是否庄重恭敬;说话,考虑是否忠诚老实;做事,考虑是否认真谨慎;有疑难,考虑应该询问请教别人;发火发怒,考虑是否会产生后患;见到财利,考虑是否合于仁义。"

【注释】

① 难(nàn 南去声):这里指发怒可能带来的灾难、留下的后患。

孔子曰:"见善如不及,见不善如探汤①。吾见其人矣,吾闻其语矣。隐居以求其志,行义以达其道②。吾闻其语矣,未见其人也。"

【今译】

孔子说:"看见善的〔就努力追求〕,如同怕自己赶不上似的;看见邪恶,如同把手伸进开水〔要赶快避开〕。我见过这种人,我听过这种话。以隐居来求得保全自己的志向,以实行仁义来贯彻自己的主张。我听过这种话,没见过这种人。"

【注释】

① 探汤:"汤",开水,热水。把手伸到滚烫的水里。指要赶紧躲避开。

② 达:达到,全面贯彻。

齐景公有马千驷①,死之日,民无德而称焉。伯夷、叔齐饿于首阳之下②,民到于今称之。(诚不以富,亦只以异。)③其斯之谓与。

【今译】

齐景公有四千匹马,死的时候,人民认为他没有什么美德可称颂。伯夷、叔齐饿死在首阳山下,但人民到现在还称颂他们。(这实在不是因为富或不富,也只是因为品德行为的不同。)说的就是这个意思吧。

【注释】

① 千驷:古代一辆车套四匹马,驷就是四匹马的统称。千驷就是四千匹马。作为诸侯而有马千驷,在当时是豪侈而越制的。

② 首阳:首阳山。又称雷首山,独领山。在今山西省运城(一说永济)县南,为当年伯夷叔齐采薇隐居处。南山有古冢,松柏茂盛,传说即伯夷叔齐的墓。关于伯夷、叔齐,已见前《公冶长篇第五》第二十三章注,可参阅。

③　"诚不"句:这两句原在《颜渊篇第十二》第十章中。有人说应加在这里,与后句"其斯之谓与"衔接。姑按前人之说,加括号补入。注详见《颜渊篇第十二》。

　　陈亢问于伯鱼曰①:"子亦有异闻乎?"对曰:"未也。尝独立,鲤趋而过庭②。曰:'学《诗》乎?'对曰:'未也。''不学《诗》无以言。'鲤退而学《诗》。他日,又独立,鲤趋而过庭。曰:'学礼乎?'对曰:'未也。''不学礼,无以立。'鲤退而学礼。闻斯二者。"陈亢退而喜曰:"问一得三,闻《诗》,闻礼,又闻君子之远其子也③。"

【今译】
　　陈亢问伯鱼:"您〔从老师那里〕听到过什么特别不同的教导吗?"〔伯鱼〕回答:"没有。有一天,〔我父亲〕一个人站在那里,我快步经过庭院。〔父亲〕问:'学过《诗经》吗?'〔我〕回答:'没有。'〔父亲说:〕'不学《诗经》,〔在社会交往中〕就不会说话。'我回去就学《诗经》。又一天,〔父亲〕又一个人站在那里,我快步经过庭院。〔父亲〕问:'学过礼吗?'〔我〕回答:'没有。'〔父亲说:〕'不学礼,〔在社会上做人做事〕不能立足。'我回去就学礼。〔我〕只听说过这两件事。"陈亢回去高兴地说:"问了一件事,得到三个收获:听到学《诗经》的意义,听到学礼的好处,又听到君子并不偏向自己的儿子。"

【注释】
　　①　陈亢:字子禽。参阅《学而篇第一》第十章注。　伯鱼:孔子的儿子,名鲤,字伯鱼。
　　②　趋:小步快速而行,以示恭敬。
　　③　远:远离,避开,不亲近。这里指对自己的儿子不偏向,没有偏爱,没有特殊照顾和过分关照。

邦君之妻①,君称之曰夫人,夫人自称曰小童②;邦人称之曰君夫人,称诸异邦曰寡小君③;异邦人称之亦曰君夫人。

【今译】

国君的妻子,国君称她为"夫人",夫人自己〔谦〕称"小童";国内的人称她为"君夫人",在其他国家的人面前〔谦〕称她为"寡小君";其他国家的人也称呼她"君夫人"。

【注释】

① 邦君:指诸侯国的国君。

② 小童:谦称。犹说自己无知如童子。

③ 诸:"之于"的合音。

阳货篇第十七

(共二十六章)

主要记孔子教育弟子讲究仁德,阐发以礼乐治国的道理。

阳货欲见孔子①,孔子不见,归孔子豚②。孔子时其亡也③,而往拜之。遇诸涂④。谓孔子曰:"来!予与尔言。"曰:"怀其宝而迷其邦⑤,可谓仁乎?"曰:"不可。""好从事而亟失时⑥,可谓知乎⑦?"曰:"不可。""日月逝矣,岁不我与⑧。"孔子曰:"诺,吾将仕矣。"

【今译】

阳货想让孔子去拜见他,孔子不去见,他便赠送给孔子一只〔蒸熟的〕小猪。孔子暗中打听到阳货不在家,才去回拜他。两人却在途中遇见了。阳货对孔子说:"过来!我有话对你说。"〔孔子近前,阳货〕说:"把自己的宝物藏在怀里,而听任国家迷乱,这样做可以称为仁吗?"〔孔子〕说:"不可以。"〔阳货又说:〕"喜欢参与政事而又屡次错过机会,可以称为智吗?"〔孔子〕说:"不可以。"〔阳货又说:〕"时间消逝了,年岁是不等待人的。"孔子说:"好吧,我将要去做官了。"

【注释】

① 阳货:又名阳虎,杨虎。鲁国季氏的家臣。曾一度掌握了季氏一家的大权,甚而掌握了鲁国的大权,是孔子说的"陪臣执国命"的人物。阳货为了发展自己的势力,极力想拉孔子给他做事。但孔子不愿随附于阳货,故采取设法回避的态度。后阳货因企图消除三桓未成而逃往国外,孔

子最终也未仕于阳货。

② 归:同"馈"。赠送。 豚(tún 屯):小猪。这里指蒸熟了的小猪。按照当时的礼节,地位高的人赠送礼物给地位低的人,受赠者如果不在家,没能当面接受,事后应当回拜。因为孔子一直不愿见阳货,阳货就用这种办法,想以礼节来逼迫孔子去回拜。

③ 时:同"伺"。意指窥伺,暗中打听,探听消息。 亡:同"无"。这里指不在家。

④ 涂:同"途"。途中,半道上。

⑤ 迷其邦:听任国家迷乱,政局动荡不安。

⑥ 亟(qì 气):副词。屡次。

⑦ 知:同"智"。

⑧ 岁不我与:即"岁不与我",年岁不等待我。"与",在一起。这里有等待意。

子曰:"性相近也①,习相远也②。"
【今译】
孔子说:"人的本性是相近的,由于环境影响的不同才相距甚远了。"
【注释】
① 性:人的本性,性情,先天的智力、气质。
② 习相远:指由于社会影响,所受教育不同,习俗、习气的沾染有别,人的后天的行为习惯会有很大差异。这里孔子是勉励人为学,通过学习提高自己的修养。

子曰:"唯上知与下愚不移①。"
【今译】
孔子说:"只有最上等的有智慧的人和最下等的愚笨的人是不可改变的。

【注释】

① 知:同"智"。　不移:不可移易、改变。

子之武城①,闻弦歌之声。夫子莞尔而笑②,曰:"割鸡焉用牛刀?"子游对曰:"昔者偃也闻诸夫子曰③:'君子学道则爱人,小人学道则易使也。'"子曰:"二三子,偃之言是也。前言戏之耳④。"

【今译】

孔子到了武城,听见弹琴唱歌的声音。孔子微笑,说:"杀鸡何必用宰牛的刀呢?"子游接过话茬说:"过去我听老师说:'在上位的人学了道,就能惠爱百姓;一般老百姓学了道,就容易役使了。'"孔子〔对随从的弟子〕说:"诸位,言偃说的话是对的。〔我〕刚才说的话不过是开玩笑罢了。"

【注释】

① 武城:鲁国的一个小城邑。在今山东省嘉祥县境。一说,指南武城,在今山东省费县西南。公元前554年,鲁襄公筑武城以御齐。另说,即城武县,在今山东省菏泽市西北七十里,有弦歌里。当时,言偃(子游)任武城行政长官。

② 莞(wǎn 晚)尔:微笑的样子。

③ 诸:"之于"的合音。

④ 戏:开玩笑,逗趣。

公山弗扰以费畔①,召,子欲往。子路不说,曰:"末之也已②,何必公山氏之之也③?"子曰:"夫召我者,而岂徒哉?如有用我者,吾其为东周乎④!"

【今译】

公山弗扰据费邑叛乱,召请〔孔子〕,孔子想去。子路很不高兴,说:"没有可去的地方就算了,何必非去公山氏那里呢?"孔子说："召我去的人,难道会让我白去吗? 如果有人用我,我就要在东方复兴周公之道啊!"

【注释】

①　公山弗扰:疑即《左传》定公五年、八年、十二年及哀公八年提到的公山不狃(niǔ 扭)。季氏家臣,后据费邑叛季氏,失败后逃亡齐国,又奔吴。　畔:同"叛"。

②　末之也已:没有可去的地方就算了。"末",没有。"之",去,往。"已",止,算了。

③　"何必"句:何必非去公山氏那个地方呢? 句中第一个"之"是助词,起把宾语提前的语法作用。第二个"之"是动词,去,往。

④　"吾其"句:孔子此句意为:将要在东方建立起一个西周式的社会,使文王武王之道重现于东方。关于此章所说孔子拟应公山弗扰之召事,许多学者提出质疑:一,《左传·定公十二年》记公山不狃叛鲁之事,并无召请孔子的记载,且当时孔子正任鲁国司寇,还派兵打败了公山不狃。二,依本章所记,孔子显有"助叛"之嫌,这与孔子的一贯主张不符。史实究竟如何,已不可确考。

子张问仁于孔子。孔子曰:"能行五者于天下,为仁矣。""请问之。"曰:"恭,宽,信,敏,惠。恭则不侮,宽则得众,信则人任焉,敏则有功,惠则足以使人。"

【今译】

子张向孔子问怎样做到仁。孔子说:"能在天下实行这五项,就是仁了。"〔子张说:〕"请问哪五项?"〔孔子〕说:"庄重,宽厚,守信,勤敏,慈惠。恭敬庄重,就不会受到侮慢;宽厚,就能获得众人拥护;守信,就能得到别人的任用;勤敏,就能取得成功;慈惠,就能更好地役使别人。"

佛肸召①,子欲往。子路曰:"昔者由也闻诸夫子曰:'亲于其身为不善者,君子不入也。'佛肸以中牟畔②,子之往也,如之何?"子曰:"然,有是言也。不曰坚乎,磨而不磷③?不曰白乎,涅而不缁④?吾岂匏瓜也哉⑤?焉能系而不食?"

【今译】

佛肸召请,孔子想去。子路说:"从前我听老师说过:'亲身做坏事的人那里,君子是不去的。'佛肸据中牟叛乱,您要去,为什么?"孔子说:"是的,我说过这话。〔但是〕不是说坚硬的东西,磨也磨不薄吗?不是说洁白的东西,染也染不黑吗?我难道是个匏瓜吗?怎么能只挂在那里而不给人吃呢?"

【注释】

① 佛肸(bì xī 毕西):晋国大夫范中行的家臣,是中牟城的行政长官。公元前490年,晋国赵简子攻打范氏,包围中牟,佛肸抵抗。佛肸召请孔子,就在这时(事见《左传·哀公五年》)。

② 中牟:晋国地名,约在今河北省邢台市和邯郸市之间。一说,在今河南省鹤壁市西,古代牟山之侧。 畔:同"叛"。

③ 磷(lìn 吝):本义是薄石。引申为把石头磨薄,使其受到磨损。

④ 涅(niè 聂):一种矿物,也叫"皂矾",古代用作黑色染料。这里用作动词,染黑。 缁(zī 滋):黑色。

⑤ 匏(páo 袍)瓜:葫芦的一种,果实比一般葫芦大。老后中空轻于水,可系于腰助人渡河泅水;或可对半剖开,做水瓢舀水用。

子曰:"由也,女闻六言六蔽矣乎①?"对曰:"未也。""居②!吾语女。好仁不好学,其蔽也愚;好知不好学③,其蔽也荡④;好信不好学,其蔽也贼⑤;好直不好学,其蔽也绞⑥;好勇不好学,其蔽也乱;好刚不好学,其蔽也狂。"

【今译】

孔子说:"仲由,你听说过六个字〔的德行〕,会有六种弊病吗?"〔子路起身〕回答:"没有。"〔孔子说:〕"坐下!我告诉你。爱

223

好仁德却不好学习,其弊病是愚蠢;爱好聪明却不好学习,其弊病是放荡;爱好诚实却不好学习,其弊病是伤害自己和亲人;爱好直率却不好学习,其弊病是说话尖刻刺人;爱好勇敢却不好学习,其弊病是容易闹乱子闯祸;爱好刚强却不好学习,其弊病是狂妄。"

【注释】

① 女:同"汝"。你。 六言:六个字,即文中的仁、知、信、直、勇、刚等德行的六个方面。 蔽:通"弊"。弊病,害处。

② 居:坐。

③ 知:同"智"。

④ 荡:放荡不羁。

⑤ 贼:害,伤害。这里指容易给自己和亲人带来伤害。

⑥ 绞:说话尖酸刻薄,不通情理。

子曰:"小子何莫学夫《诗》?《诗》可以兴①,可以观②,可以群③,可以怨④;迩之事父⑤,远之事君;多识于鸟兽草木之名。"

【今译】

孔子说:"弟子们何不学习《诗经》呢?《诗经》可以激发人的意志和感情,可以提高观察能力,可以合群,可以抒发怨恨不平;近可以事奉父母,远可以事奉君主;还可以多认识鸟兽草木的名字。"

【注释】

① 兴:本义是兴起,发动。这里指激发人的意志和感情。好的诗歌都是有感而发的,读之可以使人受到感动,而兴发爱憎的感情,在潜移默化中陶冶情操。

② 观:本义是观察,观看。这是指提高人的观察能力。《诗经》的内容丰富,题材多样,历史上的政治得失、现实生活的状况,乃至各国各地的风俗民情、自然风物等在诗中都有反映。读诗可以丰富知识,从而相应地

224

提高观察能力。

③ 群:使合群。诗离不开写人,多读诗就可以更深切地了解人,懂得如何与人相处、相交,培养锻炼人的合群的本领。

④ 怨:怨恨。《诗经》中有不少怨刺诗,表达对现实的愤懑,抒发人们心中的不平,讽刺不合理的社会现象。读了以后,可以学会用讽刺的方法,用正当的宣泄,来表达心中怨恨不平的感情。

⑤ 迩(ěr耳):近。

子谓伯鱼曰:"女为《周南》《召南》矣乎①? 人而不为《周南》《召南》,其犹正墙面而立也与②!"

【今译】

孔子对伯鱼说:"你学了《周南》《召南》了吗? 人如果不学《周南》《召南》,就好像面对墙壁站着啊!"

【注释】

① 为:本义是做。这里指学习。 周南,召(shào 哨)南:《诗经》十五国风中的第一、第二两部分。本为地名,"周南"约在汉水流域东部,今陕西、河南之间直到湖北。"召南"约在汉水流域西部,今河南、湖北之间。这两个地域收集在《诗经》中的民歌,就叫《周南》《召南》。孔子认为《周南》《召南》中有许多修身齐家的道理,故提倡学习,并加以重视。

② "其犹"句:"正",对着。就好像面对着墙壁站着。比喻被阻挡而无法向前,一物无所见,一步不可行。一说,《周南》《召南》中的诗,多用于乡乐,是众人合唱的,不用来独诵。如果一个人不会《周南》《召南》,那就得独自保持沉默,虽在合唱的人群之中,也像面对着墙壁而孤立一般。

子曰:"礼云礼云,玉帛云乎哉①? 乐云乐云,钟鼓云乎哉②?"

【今译】

孔子说:"礼呀礼呀,只是指玉帛之类的礼器吗? 乐呀乐呀,只是指钟鼓之类的乐器吗?"

【注释】

①　玉帛:指古代举行礼仪时使用的玉器、丝帛等礼器、礼品。

②　钟鼓:古代乐器。朱熹说:"敬而将之以玉帛,则为礼;和而发之以钟鼓,则为乐。"这说明礼乐之可贵在于在百姓中提倡"敬"、"和"。如果只是在形式上摆玉帛、敲钟鼓,而忽略了它的深刻的内容,那就失去了礼乐本来的意义与作用。

子曰:"色厉而内荏①,譬诸小人,其犹穿窬之盗也与②!"

【今译】

孔子说:"外表神色严厉而内心怯懦虚弱,以小人来作比喻,就像是挖墙洞爬墙头行窃的盗贼吧!"

【注释】

①　色厉内荏:外貌似乎刚强威严,而内心却柔弱怯惧。"色",神色,脸色,外表的样子。"荏(rěn 忍)",软弱,怯懦,虚弱。

②　穿:挖,透,破。窬(yú 鱼):洞,窟窿。从墙上爬过去也叫窬。

子曰:"乡愿①,德之贼也②。"

【今译】

孔子说:"所谓'乡愿',是败坏道德的人。"

【注释】

①　乡愿:特指当时社会上那种不分是非,同于流俗,言行不一,伪善欺世,处处讨好,谁也不得罪的乡里中以"谨厚老实"为人称道的"老好人"。孔子尖锐地指出:这种"乡愿",言行不符,实际上是似德非德而乱乎德的人,乃德之"贼"。世人对之不可不辨。而后,孟子更清楚地说明这种人乃是"同乎流俗,合乎污世"的人。虽然表面上看,是个对乡人全不得罪的"好好先生",其实,他抹煞了是非,混淆了善恶,不主持正义,不抵制坏人坏事,全然成为危害道德的人(见《孟子·尽心下》)。"愿",谨厚,老实。

② 贼:败坏,侵害,危害。

子曰:"道听而涂说①,德之弃也。"

【今译】

孔子说:"听到传闻不加考证而随意传播,从道德来讲,是应当抛弃的。"

【注释】

① "道听"句:在道上听到的不可靠的传闻,途中又向别人传说。"涂",同"途"。

子曰:"鄙夫可与事君也与哉①? 其未得之也,患得之②。既得之,患失之。苟患失之,无所不至矣③。"

【今译】

孔子说:"与品德恶劣的人怎么可以一起事奉君主呢?他没得到官位、富贵时,总怕得不到。既得到了,又怕失掉。假如老怕失掉官位、富贵,那就无论什么事都做得出来了。"

【注释】

① 鄙夫:鄙陋、庸俗、道德品质恶劣的人。

② 患得之:实际上是"患不能得之"的意思。"患",怕,担心。

③ 无所不至:无所不用其极,无所不为。

子曰:"古者民有三疾①,今也或是之亡也②。古之狂也肆,今之狂也荡;古之矜也廉③,今之矜也忿戾④;古之愚也直,今之愚也诈而已矣。"

【今译】

孔子说:"古代的百姓有三种毛病,现在,或者连那样的毛病也没有了。古代狂妄的人不过有些放肆直言,不拘小节,现在狂妄的人却是放荡越礼,毫无顾忌了;古代骄傲的人不过是持守过严,不可触犯他,现在骄傲的人却是忿忿乖戾,蛮横无理了;古代愚笨的人不过头脑有些简单直率,现在愚笨的人却是明目张胆地虚伪欺诈罢了。"

【注释】

① 疾:本义是病。这里指气质上的缺点。由于世风日下,今人的缺点毛病也无法同古人的缺点毛病相比了。古人气质上有缺点的尚且朴实可贵,今人则变得更加道德低下,风俗日衰了。

② 亡:同"无"。

③ 矜(jīn 金):骄傲,自尊自大。 廉:本义是器物的棱角。这里引申为不可触犯,碰不得,惹不得。

④ 忿戾(lì 利):凶恶好争,蛮横无理。

子曰:"巧言令色,鲜矣仁①。"

【今译】

孔子说:"花言巧语,一副和气善良的脸色,这种人是很少有仁德的。"

【注释】

① 本章与《学而篇第一》第三章重复。可参阅。

子曰:"恶紫之夺朱也①,恶郑声之乱雅乐也,恶利口之覆邦家者。"

【今译】

孔子说:"〔我〕厌恶用紫色顶替红色,厌恶用郑国的音乐扰乱雅乐,厌恶以巧言善辩的嘴巴来倾覆国家的人。"

【注释】

① 恶(wù 务):厌恶,讨厌。 紫之夺朱:"夺",强行取得,取代,顶替。"朱",大红色。古代传统称为正色。紫是红色和蓝色混合而成的颜色,虽与红色接近,然而不是正色而是杂色。但在春秋时期,史载鲁桓公

和齐桓公都喜欢穿紫色衣服,可见那时紫色已取代了朱色的传统地位,连诸侯的衣服都以紫色为正色了。而孔子认为:朱色的光彩与地位不应被紫色所夺去。

子曰:"予欲无言。"子贡曰:"子如不言,则小子何述焉?"子曰:"天何言哉? 四时行焉①,百物生焉。天何言哉?"

【今译】

孔子说:"我想不说话了。"子贡说:"您如果不说话,那么弟子们还传述什么呢?"孔子说:"天何尝说话呢? 四季照样运行不息,各种动植物照样发育生长。天何尝说话呢?"

【注释】

① 四时:指春、夏、秋、冬四季。

孺悲欲见孔子①,孔子辞以疾。将命者出户②,取瑟而歌,使之闻之。

【今译】

孺悲想见孔子,孔子推辞说有病。传话的人出了门,〔孔子〕拿过瑟来又弹又唱,〔故意〕让孺悲听到。

【注释】

① 孺悲:鲁国人。鲁哀公曾派孺悲向孔子学习士丧礼。孔子这次为何不愿见孺悲,原因不明。

② 将命者:传话的人。

宰我问:"三年之丧,期已久矣①。君子三年不为礼,礼必坏;三年不为乐,乐必崩。旧谷既没,新谷既升,钻燧改火②,期可已矣③。"子曰:"食夫稻④,衣夫锦,于女安乎⑤?"曰:"安。""女安,则为之! 夫君子之居丧,食旨不甘⑥,闻乐不乐⑦,居处不安⑧,故不为也。今女安,则为之!"宰我出,子曰:"予之不仁也!

子生三年,然后免于父母之怀。夫三年之丧,天下之通丧也。予也有三年之爱于其父母乎⑨?"

【今译】

宰我问:"父母去世,子女守孝三年,期限太久了。君子三年不讲习礼仪,礼仪必然荒废败坏;三年不演奏音乐,音乐必然生疏忘记。旧谷子已吃完,新谷子已上场,取火用的木料也都轮了一遍,守孝一周年就可以了。"孔子说:"〔父母去世还不满三年〕你便吃大米饭,穿锦绸缎,你心安吗?"〔宰我〕说:"〔我〕心安。"〔孔子说:〕"你心安,就这样做吧!君子居丧守孝,吃美味不觉香甜,听音乐不觉快乐,住好房子不觉安适,所以不那样做。如今你心安,就去做吧!"宰我出去后,孔子说:"是宰予的不仁啊!孩子生下三年之后,才能脱离父母的怀抱。为父母守孝三年,是天下通行的丧礼。宰予是不是也有三年的爱心报答于他的父母呢?"

【注释】

① 期:时间,期限。

② 钻燧改火:"燧(suì 岁)",木燧,古代钻木取火的工具。古人钻木取火,所用的木料四季不同。春天用榆柳,孟夏与仲夏用枣杏,季夏用桑柘,秋天用柞楢,冬天用槐檀。各种木料一年轮用一遍,第二年按上年的次序依次取用,叫"改火"。钻燧改火,即指过了一年。

③ 期:指一周年。

④ 食夫稻:"夫",指示代词。这,那。古代水稻的种植面积很小,大米是很珍贵的粮食,居丧者更不宜食。因按礼,"父母之丧,既殡,食粥,粗衰。既葬,疏食,水饮,受以成布。期而小祥,始食菜果……。"(朱熹《四书集注》)

⑤ 女:同"汝"。你。

⑥ 旨:美味,好吃的食物。

⑦ 乐:第一个"乐",指音乐。第二个"乐",指快乐。

230

⑧　居处:指住在平时所住的好房子里。古代守孝,应在父母坟墓附近搭一个临时性的草棚子或住茅草房,睡在地下草苫子上,以表示不忍心住在安适的屋子里。

⑨　"予也"句:"于",给,与。一说,"于",自,从。则此句意为:难道宰予没从父母那里得到过三年的爱护抚育吗?

子曰:"饱食终日①,无所用心,难矣哉! 不有博弈者乎②? 为之,犹贤乎已③。"

【今译】

孔子说:"饱食终日,无所用心,〔这种人〕真难办啊! 不是有掷彩下棋的游戏吗? 下下棋,也比什么都不干要好些。"

【注释】

①　终日:整天。

②　博:古代一种棋局游戏,用六箸十二棋为博具,以争输赢。　弈(yì 义):围棋。

③　贤:好,胜过,超过。　已:止。指什么都不干。

子路曰:"君子尚勇乎?"子曰:"君子义以为上。君子有勇而无义为乱,小人有勇而无义为盗。"

【今译】

子路问道:"君子崇尚勇敢吗?"孔子说:"君子以为义是最高尚的。君子有勇而无义,就会犯上作乱;小人有勇而无义,就会做强盗。"

子贡曰:"君子亦有恶乎?"子曰:"有恶。恶称人之恶者,恶居下流而讪上者①,恶勇而无礼者,恶果敢而窒者②。"曰:"赐也亦有恶乎?""恶徼以为知者③,恶不孙以为勇者④,恶讦以为直者⑤。"

子贡问道:"君子也有所厌恶吗?"孔子说:"有厌恶。厌恶专好称扬散播别人坏处的人,厌恶身居下位而诽谤上位的人,厌恶恃强勇敢而无礼的人,厌恶果决敢为而固执不通事理的人。"〔孔子又〕说:"端木赐呀,你也有所厌恶吗?"〔子贡说:〕"厌恶窃取抄袭〔别人的知识成果〕却自以为聪明的人,厌恶不谦逊却自以为勇敢的人,厌恶揭发攻击别人却自以为正直的人。"

【注释】

① 流:据清乾隆年间经学大家惠栋《九经古义》和清嘉庆年间学者冯登府《论语异文考证》,"流"字衍。晚唐以前的《论语》版本中无"流"字,至宋代,才有此衍误。 讪(shàn善):诽谤,讥讽,诋毁。以言毁人称谤,在下谤上称讪。

② 窒(zhì志):阻塞,不通。引申为固执,头脑僵化,顽固不化。

③ 徼(jiǎo交):抄袭,窃取,剽窃他人的知识成果(如言论,学问,见解,做出的成绩等)。一说,私察他人之言行动静,而自作聪明,假以为知。知:同"智"。

④ 孙:同"逊"。

⑤ 讦(jié杰):攻击别人的短处,揭发别人的隐私。

子曰:"唯女子与小人为难养也①,近之则不孙②,远之则怨。"

【今译】

孔子说:"唯独女子和小人是难以相处的。亲近他,就无礼;疏远他,就怨恨。"

【注释】

① 养:供养,共同相处。这里主要指的是对婢妾,对仆隶下人,故用"养"字。

② 不孙:指不恭顺,不守规矩,放肆无礼。"孙",同"逊"。

子曰:"年四十而见恶焉①,其终也已。"

【今译】

孔子说:"年纪到了四十岁还被人厌恶,他这一辈子算是完了。"

【注释】

① 见恶:被别人所厌恶,所讨厌。"见",助词,表示被动。

微子篇第十八

主要记历史上圣贤的事迹,孔子及其弟子周游列国时的行为,以及世人对于处乱世的不同态度。

微子去之①,箕子为之奴②,比干谏而死③。孔子曰:"殷有三仁焉!"

【今译】

〔纣王无道,〕微子离开了纣王,箕子被纣王拘囚降为奴隶,比干屡次劝谏被〔纣王〕杀死。孔子说:"殷朝有这三位仁人啊!"

【注释】

① 微子:名启,采邑在微(今山西省潞城县东北)。微子是纣王的同母兄,但微子出生时其母只是帝乙的妾,后来才立为正妻生了纣,于是纣获得立嗣的正统地位而继承了帝位,微子则封为子爵,成了纣王的卿士。纣王无道,微子屡谏不听,遂隐居荒野。周武王灭殷后,被封于宋。 去:离开。 之:代词。指殷纣王。

② 箕子:名胥馀,殷纣王的叔父。他的采邑在箕(在今山西省太谷县东北)。子爵,官太师。曾多次劝说纣王,纣王不听,箕子披发装疯,被纣王拘囚,降为奴隶。周武王灭殷后才被释放。

③ 比干:殷纣王的叔父。官少师,屡次竭力强谏纣王,并表明"主过不谏,非忠也;畏死不言,非勇也;过则谏,不用则死,忠之至也。"纣王大怒,竟说:"吾闻圣人之心有七窍,信诸?"(《史记·殷本纪》注引《括地志》)遂将比干剖胸挖心,残忍地杀死。

柳下惠为士师①，三黜②。人曰："子未可以去乎③？"曰："直道而事人，焉往而不三黜④？枉道而事人⑤，何必去父母之邦⑥？"

【今译】

柳下惠担任〔鲁国〕掌管司法刑狱的官员，多次被免职。有人说："您不可以离开〔这个国家〕吗？"〔柳下惠〕说："正直地事奉人君，到哪一国去不会被多次免职？〔如果〕不正直地事奉人君，何必要离开自己父母所在的祖国呢？"

【注释】

① 士师：古代掌管司法刑狱的官员。

② 三黜(chù 处)：多次被罢免。"三"，表示多次，不一定只有三次。

③ 去：离开。

④ 焉：代词，表疑问。哪里。 往：去。

⑤ 枉：不正。

⑥ 父母之邦：父母所在之国，即本国，祖国。

齐景公待孔子曰："若季氏，则吾不能；以季孟之间待之。"曰："吾老矣，不能用也。"孔子行①。

【今译】

齐景公讲到对待孔子〔的礼节、爵禄〕说："若像〔鲁国国君〕对待季氏那样〔来对待孔子〕，我不能；要用比季孙氏低比孟孙氏高的待遇来对待孔子。"〔后来齐景公又〕说："我老了，不能用他了。"孔子便动身走了。

【注释】

① 孔子行：公元前 509 年，孔子到齐国，想得到齐景公的重用；结果，有人反对，甚至扬言要杀孔子。齐景公迫于压力，不敢任用，孔子于是离开齐国。

齐人归女乐①,季桓子受之②,三日不朝,孔子行③。

【今译】

齐国人赠送了许多歌姬舞女〔给鲁国〕,季桓子接受了,三天不上朝。孔子便离开了鲁国。

【注释】

① 归:同"馈"。赠送。

② 季桓子:鲁国贵族,姓季孙,名斯,季孙肥(康子)的父亲。从鲁定公时至鲁哀公初年,一直担任鲁国执政的上卿(宰相)。

③ 孔子行:《史记·孔子世家》:"定公十四年,孔子为鲁司寇,摄行相事。齐人惧,归(馈)女乐以沮(阻止)之。"孔子看到鲁国君臣这样迷恋女乐,朝政日衰,不足有为,便大大失望而去职离鲁。

楚狂接舆歌而过孔子曰①:"凤兮②! 凤兮! 何德之衰? 往者不可谏③,来者犹可追④。已而,已而,今之从政者殆而⑤。"孔子下,欲与之言。趋而辟之⑥,不得与之言。

【今译】

楚国有位狂人接舆,唱着歌经过孔子的车旁,歌里唱道:"凤凰呀! 凤凰呀! 为何道德这么衰微? 过去的事不可挽回了,将来的事还来得及改正。算了吧,算了吧,如今从政的人危险啊。"孔子下车,想同他说话。〔接舆〕快步避开了,〔孔子〕没能同他说话。

【注释】

① 接舆:"接",迎。"舆",车。迎面遇着孔子的车。这里因其事而呼其人为"接舆"。传说乃楚国人,是"躬耕以食"的隐者贤士,用唱歌来批评时政,被世人视为狂人。一说,接舆本姓陆,名通,字接舆。见楚昭王政事无常,乃佯狂不仕,于是被人们看做是楚国的一个疯子。

② 凤:凤凰。古时传说,世有道则凤鸟见,无道则隐。这里比喻孔子。接舆认为孔子世无道而不能隐,故说"德衰"。

③　谏:规劝,使改正错误。

④　犹可追:尚可补救,还来得及改正。

⑤　而:语助词,相当于"矣"。

⑥　辟:同"避"。

　　长沮、桀溺耦而耕①,孔子过之,使子路问津焉。长沮曰:"夫执舆者为谁②?"子路曰:"为孔丘。"曰:"是鲁孔丘与③?"曰:"是也。"曰:"是知津矣。"问于桀溺。桀溺曰:"子为谁?"曰:"为仲由。"曰:"是鲁孔丘之徒与?"对曰:"然。"曰:"滔滔者天下皆是也,而谁以易之? 且而与其从辟人之士也④,岂若从辟世之士哉⑤。"耰而不辍⑥。子路行以告。夫子怃然曰⑦:"鸟兽不可与同群,吾非斯人之徒与而谁与⑧? 天下有道,丘不与易也⑨。"

【今译】

　　长沮、桀溺两人一起耕田,孔子经过那里,让子路去打听渡口。长沮说:"那驾车的人是谁?"子路说:"是孔丘。"〔长沮〕说:"是鲁国的孔丘吗?"〔子路〕说:"是的。"〔长沮〕说:"那他自己该知道渡口〔在哪里〕。"去问桀溺。桀溺说:"您是谁?"〔子路〕说:"是仲由。"〔桀溺〕说:"是鲁国孔丘的徒弟吗?"〔子路〕回答:"是的。"〔桀溺〕说:"〔世上纷纷乱乱,礼坏乐崩,〕如滔滔的大水弥漫,天下都是这样,你们和谁去改变这种现状呢? 而且,你与其跟随躲避人的人,还不如跟随避开整个社会的人呢。"一边说一边不停地用耰翻土覆盖播下的种子。子路回来告诉〔孔子〕。孔子怅惘地叹息说:"〔人〕与鸟兽是不可同群的,我不同世人一起生活又同谁呢? 假若天下有道,我孔丘就不参与变革〔现实的活动〕了。"

【注释】

①　长沮,桀溺:"长",个头高大。"沮(jù 句)",沮洳,泥水润泽之处。

"桀",同"杰"。身材魁梧。"溺",身浸水中。这是两位在泥水中从事劳动的隐者。长沮、桀溺,都是形容人的形象,不是真实姓名。　耦(ǒu 藕):二人合耕,各执一耜(sì 四),左右并发。

②　执舆者:驾车的人。此指孔子。本来是子路驾车的,因下车问津,所以由孔子代为驾车,孔子便成了"执舆者"。

③　与:通"欤"。吗。

④　且:而且。　而:同"尔"。你。　辟人之士:躲避人的人。指孔子。孔子离开鲁国,到处奔波,躲避与自己志趣不合的人,不同他们合作,故称。"辟",同"避"。

⑤　辟世之士:避开整个社会的隐士。

⑥　耰(yōu 优):古代农具,用来击碎土块和平整土地。这里指用耰翻土去覆盖种子。　辍(chuò 绰):停止,中止。

⑦　怃(wǔ 午)然:怅惘失意的样子。

⑧　斯人之徒:指世上的人们,现实社会的那些从政者,统治者。

⑨　与:相与,参与。　易:变易,改革。

子路从而后,遇丈人①,以杖荷蓧②。子路问:"子见夫子乎?"丈人曰:"四体不勤,五谷不分,孰为夫子?"植其杖而芸③。子路拱而立。止子路宿,杀鸡为黍而食之④,见其二子焉。明日,子路行以告。子曰:"隐者也。"使子路反见之⑤,至则行矣。子路曰:"不仕无义。长幼之节不可废也,君臣之义如之何其废之? 欲洁其身而乱大伦。君子之仕也,行其义也。道之不行,已知之矣。"

【今译】

〔孔子周游列国时〕子路跟从,〔有一次〕落在后面。遇上一位老人,用木杖挑着除草的农具。子路问:"您看见我的老师了吗?"老人说:"〔你们〕四肢不劳动,五谷分不清,谁知哪个是你老师?"接着把木杖插在地上,就去除草了。子路拱手站在一旁。

老人留子路到他家住宿,杀鸡、做黍米饭给子路吃,并让两个儿子见了子路。第二天,子路赶上了孔子,告诉了这件事。孔子说:"这是位隐士。"让子路返回去看老人。子路到了那里,〔老人〕已经走了。子路说:"不从政做官是不义的。长幼之间的礼节不可废弃,君臣之间的名分如何能废弃呢?只想洁身自好,却乱了君臣间大的伦理关系。君子之所以要从政做官,就是为了实行君臣之义。〔至于〕道之不能行,〔我们〕已经知道了。"

【注释】

① 丈人:老人。姓名身世不详。一说,楚国叶县人。

② 荷(hè 贺):挑,担,扛。 莜(diào 掉):古代一种竹制农具。用以除草。

③ 芸:同"耘"。除草。

④ 食(sì 四):拿东西给别人吃。

⑤ 反:同"返"。返回去。

逸民①:伯夷,叔齐,虞仲②,夷逸③,朱张④,柳下惠,少连⑤。子曰:"不降其志,不辱其身,伯夷、叔齐与!"谓:"柳下惠、少连,降志辱身矣,言中伦⑥,行中虑,其斯而已矣。"谓:"虞仲、夷逸,隐居放言,身中清,废中权。我则异于是,无可无不可⑦。"

【今译】

逸民有:伯夷,叔齐,虞仲,夷逸,朱张,柳下惠,少连。孔子说:"不贬抑自己的意志,不辱没自己的身份,就是伯夷、叔齐吧!"又说:"柳下惠、少连,〔被迫〕贬抑自己的意志,辱没自己的身份,但说话合乎伦理,行为深思熟虑,他们只是这样做而已啊。"又说:"虞仲、夷逸,过隐居生活,说话放纵无忌,能保持自身清白,废弃官位而合乎权宜变通。可是我与这些人不同,没有什么可以,也没有什么不可以。"

① 逸民:隐退不仕的人,失去政治、经济地位的贵族。

② 虞仲:即仲雍,为推辞王位,与兄泰伯一同隐至荆蛮。见《泰伯篇第八》第一章注。一说,是《史记》中吴君周章之弟。

③ 夷逸:古代隐士。自称是牛,可耕于野,而不忍被诱入庙而为牺牲。

④ 朱张:字子弓。身世不详。

⑤ 少连:东夷人。善于守孝,达于礼。

⑥ 中(zhòng 众):符合,合于。

⑦ "无可"句:意思是说:根据客观实际情况的发展变化而考虑怎样做适宜。得时则驾,随遇而安。《孟子·万章下》说:孔子是"圣之时者也","可以速而速,可以久而久,可以处而处,可以仕而仕"。随机应变,见机行事。不一定这样做,也不一定不这样做。

太师挚适齐①,亚饭干适楚②,三饭缭适蔡,四饭缺适秦;鼓方叔入于河③,播鼗武入于汉④;少师阳、击磬襄⑤,入于海。

【今译】

太师挚去了齐国,亚饭乐师干去了楚国,三饭乐师缭去了蔡国,四饭乐师缺去了秦国;打鼓的方叔去了黄河地区,摇小鼓的武去了汉水地区;少师阳和击磬的襄,去了海滨。

【注释】

① 太师挚:可能就是《泰伯篇第八》第十五章中所说的"师挚",是乐官之长。可参阅。

② 亚饭:按周朝制度规定,天子和诸侯吃饭时要奏乐。"亚饭"是第二次吃饭时奏乐的乐师,"三饭"、"四饭"依此类推。 干:及下文"缭"、"缺",均为乐师名。

③ 鼓方叔:打鼓的乐师,名方叔。 河:专指黄河。

④ 播:摇。 鼗(táo 桃):长柄摇鼓,两旁系有小槌。 武:是摇小鼓的乐师的名字。

⑤　少师阳:乐官之佐(副乐师),名阳。　击磬襄:敲磬的乐师,名襄。孔子曾向他学琴。以上这些鲁国的乐师流亡四方,各找出路,说明鲁公室已日益衰微。

周公谓鲁公曰①:"君子不施其亲②,不使大臣怨乎不以③;故旧无大故,则不弃也;无求备于一人。"

【今译】

周公对鲁公说:"君子不能疏远怠慢自己的亲族,不能让大臣埋怨不任用他们;老臣老友,如果没有重大的过错,不要遗弃他们;不要对一个人求全责备。"

【注释】

①　周公:武王之弟,名姬旦。　鲁公:指周公的儿子伯禽。

②　施:同"弛"。松弛,放松,弃置。引申为疏远,怠慢。

③　以:用,任用。

周有八士①:伯达,伯适,仲突,仲忽,叔夜,叔夏,季随,季骒。

【今译】

周朝有八位名士:伯达,伯适,仲突,仲忽,叔夜,叔夏,季随,季骒。

【注释】

①　八士:身世生平不详。或说,周初盛时,有这八名才德之士:伯达通达义理,伯适(kuò 扩)大度能容,仲突有御难之才,仲忽有综理之才,叔夜柔顺不迫,叔夏刚明不屈,季随有应顺之才能,季骒(guā 瓜)德同良马。八人都很有教养,有贤名。或传说八士为一母所生的四对孪生子(见《逸周书》)。

子张篇第十九

（共二十五章）

主要记孔子的弟子们探讨求学求道的言论，以及对孔子的敬仰与赞颂。

子张曰："士见危致命①，见得思义②，祭思敬，丧思哀，其可已矣③。"

【今译】

子张说："作为一个士，遇见国家危难，能献出自己生命；遇见有利可得，能考虑是否合乎义；祭祀时，能想到恭敬严肃；临丧时，能想到悲哀。这样做就可以了。"

【注释】

① 致命：授命，舍弃生命。

② 思：反省，考虑。

③ 其可已矣："见危致命，见得思义，祭思敬，丧思哀"这四方面是立身之大节。作为士，如能做到这些，就算可以了。

子张曰："执德不弘①，信道不笃，焉能为有？焉能为亡②？"

【今译】

子张说："执守仁德不能发扬光大，信仰道义不能专一诚实，〔这种人〕哪能算有？哪能算无？"

【注释】

① 弘：弘扬，发扬光大。一说，"弘"即今之"强"字，坚强，坚定不移

242

（见章炳麟《广论语骈枝》）。

② "焉能"句：意谓无足轻重；有他不为多，无他不为少；有他没他一个样。"亡"，同"无"。

子夏之门人问交于子张。子张曰："子夏云何？"对曰："子夏曰：'可者与之，其不可者拒之。'"子张曰："异乎吾所闻：君子尊贤而容众，嘉善而矜不能①。我之大贤与②，于人何所不容？我之不贤与，人将拒我，如之何其拒人也？"

【今译】

子夏的门人向子张询问交友之道。子张反问："子夏是怎样说的？"〔子夏的门人〕回答："子夏说：'可交的就与他交，不可交的就拒绝他。'"子张说："这和我听说的不同：君子能尊敬贤人，又能容纳众人；能赞美好人，又能怜悯能力差的人。我如果是很贤明的，对于别人为何不能容纳呢？我如果不贤明，别人将会拒绝我，如何〔谈得上〕拒绝别人呢？"

【注释】

① 矜(jīn 金)：怜悯，怜恤，同情。

② 与：同"欤"。语气词。

子夏曰："虽小道①，必有可观者焉，致远恐泥②，是以君子不为也。"

【今译】

子夏说："虽是小的技艺，也一定有可取之处，但对远大的事业恐有妨碍，所以君子不从事这些小技艺。"

【注释】

① 小道：指某一方面的技能，技艺，如古代所谓农，圃，医，卜，乐，百工之类。

② 泥(nì 腻)：不通达，留滞，拘泥。

子夏曰:"日知其所亡①,月无忘其所能,可谓好学也已矣。"

【今译】

子夏说:"每天知道一些过去所不知的,每月不忘记已经掌握的,〔这样〕可以称为好学的人了。"

【注释】

① 亡:同"无"。这里指自己所没有的知识、技能,所不懂的道理等。

子夏曰:"博学而笃志,切问而近思,仁在其中矣。"

【今译】

子夏说:"广博地学习钻研,坚定自己的志向,恳切地提问,多考虑当前的事,仁德就在其中了。"

子夏曰:"百工居肆以成其事①,君子学以致其道。"

【今译】

子夏说:"各行业的工匠要〔整天〕在作坊里完成自己分内的工作,君子要〔终身〕学习达到实现道的目的。"

【注释】

① 肆:古代制造物品的场所。如官府营造器物的地方,手工业作坊。陈列商品的店铺,也叫肆。

子夏曰:"小人之过也必文。"

【今译】

子夏说:"小人对过错必定掩饰。"

子夏曰:"君子有三变:望之俨然,即之也温,听其言也厉。"

【今译】

子夏说:"君子〔的态度让你感到〕有三种变化:远看外表庄严可畏,接近他温和可亲,听他说的话严正精确。"

子夏曰:"君子信而后劳其民①;未信,则以为厉己也②。信而后谏;未信,则以为谤己也。"

【今译】

子夏说:"君子要先取得百姓的信任,而后再役使他们;〔如果〕不信任,〔百姓〕就会以为是虐待自己。要先取得〔君主〕信任,而后去劝谏;〔如果〕不信任,〔君主〕就会以为是诽谤自己。"

【注释】

① 劳:指役使,让百姓去服劳役。

② 厉:虐待,折磨,坑害。

子夏曰:"大德不逾闲①,小德出入可也。"

【今译】

子夏说:"在德操大节上不要超过界限,在细微小节上有点出入是可以的。"

【注释】

① 大德:与下"小德"相对,犹言大节。小德即小节。一般认为,大德指纲常伦理方面的节操。小德指日常的生活作风,礼貌,仪表,待人接物,言语文词等。 逾:超越,越过。 闲:本义是阑,栅栏。引申为限制,界限,法度。

子游曰:"子夏之门人小子,当洒扫应对进退,则可矣,抑末也①。本之则无,如之何?"子夏闻之,曰:"噫! 言游过矣! 君子之道②,孰先传焉? 孰后倦焉③? 譬诸草木,区以别矣。君子之道,焉可诬也? 有始有卒者,其惟圣人乎!"

子游说:"子夏的门人,做些洒水扫地接待迎送的事是可以的,但这不过是末节。根本的东西却没有〔学到〕,怎么可以呢?"子夏听了这些话,说:"唉! 子游错了! 君子之道,哪些先传授,哪些后传授呢?〔道〕比之于草木,〔各种各类〕是有区别的。君子之道,怎么可以诬蔑歪曲呢? 能够有始有终〔按次序教授弟子的〕,大概只有圣人吧!"

【注释】

① 抑:抑或,或许。 末:非根本的方面,末节。

② 君子之道:指君子的立身之道。与"本"有密切联系,故《论语》有"君子务本,本立而道生"的话。

③ "孰先"句:句中"倦"字,当是"传"字之误。一说,"倦"字不误,意思是:君子之道,传于人,宜有先后,非以其"末"为先而传之,非以其"本"为后而倦教,非专传其宜先者,而倦传其宜后者。

子夏曰:"仕而优则学①,学而优则仕。"

【今译】

子夏说:"做官要做得好就应该学习;学习好了才可以做官。"

【注释】

① 优:优秀,优良。一说,"优",充足,富裕。指人有馀力。此章的意思则是:做了官的首先是为国为民尽职尽责,有馀力,便应学习(资其仕者益深);为学的首先是明道修德掌握知识技能,有馀力,则可做官(验其学者益广)。

子游曰:"丧致乎哀而止①。"

【今译】

子游说:"居丧,充分体现出悲哀之情就可以了。"

246

【注释】

① "丧致乎"句:这句话包含两层含意:一,居丧尚有悲哀之情,而不尚繁礼文饰。二,既已哀,则当止,不当过哀以至毁身灭性。"丧",指在直系亲长丧期之中。

子游曰:"吾友张也为难能也①,然而未仁。"

【今译】

子游说:"我的朋友子张,是难能可贵的〔人物〕,然而还没达到仁。"

【注释】

① 张:即颛孙师,字子张。朱熹说:"子张行过高,而少诚实恻怛之意。"才高意广,人所难能,而心驰于外,不能全其心德,未得为仁。

曾子曰:"堂堂乎张也①,难与并为仁矣。"

【今译】

曾子说:"仪表壮伟的子张啊,〔却〕很难同他一起做到仁。"

【注释】

① 堂堂:形容仪表壮伟,气派十足。据说子张外有馀而内不足,他的为人重在"言语形貌",不重在"正心诚意",故人不能助他为仁,他也不能助人为仁。

曾子曰:"吾闻诸夫子,人未有自致者也①,必也亲丧乎!"

【今译】

曾子说:"我听老师说过,人没有自动充分表露内心真情的,〔若有,〕必定是父母去世吧!"

【注释】

① 致:极,尽。这里指充分表露和发泄内心全部的真实感情。父母之丧,哀痛迫切之情,不待人勉而自尽其极。

曾子曰："吾闻诸夫子:孟庄子之孝也①,其他可能也,其不改父之臣与父之政,是难能也。"

【今译】

曾子说:"我听老师说过:孟庄子行孝,其他方面别的人都能做到,不更换父亲的旧臣,不改变父亲的政治措施,那是别人难以做到的。"

【注释】

①孟庄子:鲁国大夫孟孙速。其父是孟孙蔑(孟献子),品德好,有贤名。

孟氏使阳肤为士师①。问于曾子。曾子曰:"上失其道,民散久矣。如得其情,则哀矜而勿喜②!"

【今译】

孟孙氏任命阳肤为司法刑狱长官。〔阳肤〕请教于曾子。曾子说:"当政的人失去正道,百姓离心离德已久了。如果了解了百姓〔因受苦、冤屈而犯法的〕实情,应当同情怜悯他们,而不要〔因判他们罪而〕沾沾自喜。"

【注释】

① 阳肤:相传是曾参七名弟子中的一名。武城人。

② 矜:怜悯,怜惜,同情。

子贡曰:"纣之不善①,不如是之甚也②。是以君子恶居下流③,天下之恶皆归焉④。"

【今译】

子贡说:"殷纣王的不善,不如传说的那样严重。因此,君子非常憎恶居于下流,〔一旦居于下流,〕天下的一切坏事〔坏名〕都会归到他的头上来。"

【注释】

① 纣:名辛,史称"帝辛","纣"是谥号(按照谥法,残忍不义称为"纣")。商朝最后一个君主,是历史上有名的暴君。据史料看,纣有文武才能,对东方的开发,对文化的发展和中国的统一,都曾有过贡献。但他宠爱妲己,贪酒好色,刚愎自用,拒纳忠言。制定残酷的刑法,压制人民。又大兴土木,无休止地役使人民。后周武王会合西南各族向纣进攻,牧野(今河南淇县西南)一战,纣兵败,逃入城内,引火自焚而死。殷遂灭。

② 是:代词。指人们传说的那样。

③ 恶(wù 务):讨厌,憎恨,憎恶。 下流:地势卑下处。这里指由高位而降至低位。

④ 恶(è 饿):坏事,罪恶。子贡说这番话的意思,当然不是为纣王去辩解开脱,而是要提醒世人(尤其是当权者),应当经常自我警戒反省,在台上的时候律己要严。否则一旦失势,置身"下流",天下的"恶名"将集于一身而遗臭万年。

子贡曰:"君子之过也,如日月之食焉① :过也,人皆见之;更也② ,人皆仰之。"

【今译】

子贡说:"君子的过错,如同日蚀月蚀:过错,人们都看得见;更改,人们都仰望着。"

【注释】

① 食:同"蚀"。

② 更:变更,更改。

卫公孙朝问于子贡曰① :"仲尼焉学?"子贡曰:"文武之道,未坠于地② ,在人。贤者识其大者,不贤者识其小者,莫不有文武之道焉。夫子焉不学? 而亦何常师之有③ ?"

卫国的公孙朝问子贡:"仲尼的学问是从哪儿学来的?"子贡说:"周文王、周武王之道,并未失传,还有人能记得。贤能的人了解记住大的方面,不贤的人了解记住小的方面,无处不有文武之道。我的老师何处不学呢?又何尝有固定的老师呢?"

【注释】

① 公孙朝:卫国大夫。

② 坠于地:掉到地下。这里指被人们轻视而遗弃,被人遗忘,失传。

③ 常师:固定的老师。子贡说孔子不是专向某一个人学习,而是向众人学习。传说孔子曾经问礼于老聃(dān 丹),访乐于苌弘,问官于郯子,学琴于师襄。故唐代韩愈说"圣人无常师"(见《师说》)。

叔孙武叔语大夫于朝曰①:"子贡贤于仲尼。"子服景伯以告子贡②。子贡曰:"譬之宫墙③,赐之墙也及肩,窥见室家之好。夫子之墙数仞④,不得其门而入,不见宗庙之美,百官之富⑤。得其门者或寡矣。夫子之云,不亦宜乎⑥!"

【今译】

叔孙武叔在朝廷上对大夫们说:"子贡比孔子强。"子服景伯把这话告诉了子贡。子贡说:"用房舍的围墙作个比喻吧,我的围墙,只够到肩膀那么高,人们都能窥见房屋的美好。我老师的围墙有几丈高,找不到门,无法进去,看不到宗庙的美好和各个房舍的丰富多彩。能找到门进去的人或许还很少呢。〔叔孙武叔〕老先生那样说,不也是很自然的吗!"

【注释】

① 叔孙武叔:鲁国大夫,"三桓"之一,名州仇。

② 子服景伯:名何,鲁国大夫。

③ 宫:房屋,住舍。古代不论尊卑贵贱,住所都称"宫"。到了秦代才专称帝王的住所为宫。

④ 仞(rèn 任):古代长度,七尺(或说八尺)叫一仞。

⑤ 官:本义是房舍,后来才引申为做官,官职。这里用本义。

⑥ 宜:适宜,相称,很自然。

叔孙武叔毁仲尼。子贡曰:"无以为也! 仲尼不可毁也。他人之贤者,丘陵也,犹可逾也;仲尼,日月也,无得而逾焉。人虽欲自绝①,其何伤于日月乎? 多见其不知量也②。"

【今译】

叔孙武叔毁谤仲尼。子贡说:"不要这样做啊! 仲尼是毁谤不了的。别的贤人,如丘陵,还可以越过去;仲尼,如日月,是无法越过的。有人虽然想要自绝〔于日月〕,对日月有什么损伤呢? 只是看出这种人不自量力啊。"

【注释】

① 自绝:自行断绝跟对方之间的关系。

② 多:只是,徒然,恰好是。 不知量:不知道自己的分量,不知高低轻重,不自量。

陈子禽谓子贡曰①:"子为恭也,仲尼岂贤于子乎?"子贡曰:"君子一言以为知②,一言以为不知,言不可不慎也。夫子之不可及也,犹天之不可阶而升也。夫子之得邦家者,所谓立之斯立,道之斯行③,绥之斯来④,动之斯和。其生也荣,其死也哀。如之何其可及也?"

【今译】

陈子禽对子贡说:"您对仲尼有意表现恭敬吧,他难道比您更贤能吗?"子贡说:"君子一句话可以表现出明智,一句话也可以表现出不明智,说话不可不谨慎呀。我们老师是不可及的,好像天是不能通过阶梯登上去一样。我们老师如能获得治理国家

251

的权位,就像〔我们〕所说的:要百姓立足于社会,〔百姓〕就会立足于社会;要引导百姓,〔百姓〕就会跟着走;要安抚百姓,〔百姓〕就会来归附;要发动百姓,〔百姓〕就会团结协力。老师活着很光荣,死了会使人悲哀。〔我〕怎么能赶上老师呢?"

【注释】

①　陈子禽:陈亢,字子禽。参阅《学而篇第一》第十章注。

②　知:同"智"。聪明,智慧,明智。

③　道:同"导"。引导。

④　绥(suí 随):安抚。

尧曰篇第二十

主要记古代贤王尧、舜、禹、汤的言论以及孔子对为政的论述。

尧曰①:"咨②!尔舜③,天之历数在尔躬④,允执其中⑤。四海困穷,天禄永终。"

舜亦以命禹⑥。

曰:"予小子履敢用玄牡⑦,敢昭告于皇皇后帝⑧:有罪不敢赦。帝臣不蔽⑨,简在帝心⑩。朕躬有罪⑪,无以万方;万方有罪,罪在朕躬。"

周有大赉⑫,善人是富。"虽有周亲,不如仁人。百姓有过,在予一人⑬。"

谨权量⑭,审法度⑮,修废官,四方之政行焉。兴灭国,继绝世,举逸民,天下之民归心焉。

所重:民,食,丧,祭。

宽则得众,信则民任焉⑯,敏则有功,公则说⑰。

【今译】

尧说:"啧啧!舜啊!按照天意所定的继承顺序,帝位就在你身上了,〔你〕要诚实恰当地保持执守中正之道。〔如果你执行有偏差,〕天下百姓陷于贫困,〔那么〕上天赐给你的禄位就会永远终止了。"

舜也是用这些话嘱咐了禹。

〔商汤〕说:"我小子履,大胆虔诚地用黑色的公牛来祭祀,冒昧地向光明而伟大的天帝祷告:对有罪的人,〔我〕不敢擅自赦免。您的臣仆〔的善恶〕,我也不敢隐瞒掩盖,〔对此〕您心里是清楚知道的。〔如果〕我自身有罪过,请不要责怪连累天下万方;天下万方〔如果〕有罪过,罪过都应归在我身上。"

周朝〔初年〕大发赏赐〔分封诸侯〕,善人都得到富贵。〔周武王说:〕"虽有至亲,却不如有仁德的人。百姓如有过错,都应该由我一人来承担。"

〔孔子常说:〕谨慎地制定审查度量衡,恢复被废弃的官职与机构,天下四方的政令就通行了。复兴灭亡了的国家,接续断绝了的世族,推举起用前代被遗落的德才之士,天下民心就归服了。

〔国家〕所要重视的是:人民,粮食,丧葬,祭祀。

做人宽厚,就会得到众人的拥护;诚实守信用,就会得到别人的任用;做事勤敏,就会取得成功;处事公平,就会使大家高兴。

【注释】

① 尧:传说中新石器时代我国父系氏族社会后期的部落联盟的领袖。他把君位禅(shàn 善)让给舜。史称"唐尧"。后被尊称为"圣君"。参阅《泰伯篇第八》第二十章注。

② 咨(zī 资):感叹词。犹"啧啧"。咂嘴表示赞叹、赞美。

③ 舜:传说中受尧禅位的君主。后来,他又把君位让给禹。传说他眼睛有两个瞳仁,又名"重华"。参阅《泰伯篇第八》第二十章注。

④ 天之历数:天命。这里指帝王更替的一定次序。古代帝王常常假托天命,都说自己能当帝王是由天命所决定的。

⑤ 允:诚信,公平。 执:掌握,保持,执守。 中:正,不偏不倚,不"过"也无"不及"。

⑥　"舜亦"句:"禹",传说中受舜禅位的君主。姒(sì 四)姓,亦称"大禹"、"夏禹"、"戎禹",以治水名闻天下。关于舜禅位时嘱咐大禹的话,可参阅《尚书·大禹谟》。

⑦　予小子履:商汤自称。"予",我。"小子",祭天地时自称,表示自己是天帝的儿子(天之子,天子)。"履",商汤的名字。商汤,历史上又称武汤,武王,天乙,成汤(或成唐),也称高祖乙。他原为商族领袖,任用伊尹执政,积聚力量,陆续攻灭邻近各小国,最后一举灭夏桀,建立了商朝,是孔子所说的"贤王"。　敢:谦辞,犹言"冒昧"。含虔诚诚意。　玄牡:"玄",黑色。"牡",公牛。宰杀后作祭祀用的牺牲。按此段文字又见《尚书·汤诰》,文字略有不同,可参阅。

⑧　皇皇:大,伟大。　后帝:"后",指君主。古代天子和诸侯都称"后",到了后世,才称帝王的正妻为后。"帝",古代指最高的天神。这里"后"和"帝"是同一个概念,指天帝。

⑨　帝臣:天下的一切贤人都是天帝之臣。

⑩　简:本义是检阅,检查。这里有知道,明白,清楚了解的意思。

⑪　朕(zhèn 振):我。古人不论地位尊卑都自称朕。从秦始皇起,才成为帝王专用的至尊的自称。

⑫　大赉(lài 赖):大发赏赐,奖赏百官,分封土地。

⑬　"虽有"句:"周",至,最。"百姓",这里指各族各姓受封的贵族。传说商末就有八百个诸侯。此句又见《尚书·泰誓》,文字略有不同,可参阅。

⑭　权:秤锤。指计重量的标准。　量:量器。指计容积的标准。

⑮　法度:指计量长度的标准。

⑯　"信则"句:"民",疑当作"人",他人,别人。"任",任用。诚实守信就得到他人任用。一说,"民",百姓。"任",信任。诚恳守信,就会得到百姓信任。另说,汉代石经等一些版本无此五字,乃《阳货篇第十七》第六章文字而误增于此。

⑰　说:同"悦"。高兴。本章文字,前后不连贯,疑有脱漏。风格也不同。前半章文字古奥,可能是《论语》的编订者引自当时可见的古代文

献。从"谨权量"以下,大多数学者认为可能就是孔子所说的话了。

子张问于孔子曰:"何如斯可以从政矣①?"子曰:"尊五美,屏四恶②,斯可以从政矣。"子张曰:"何谓五美?"子曰:"君子惠而不费,劳而不怨,欲而不贪③,泰而不骄,威而不猛。"子张曰:"何谓惠而不费?"子曰:"因民之所利而利之,斯不亦惠而不费乎? 择可劳而劳之,又谁怨? 欲仁而得仁,又焉贪? 君子无众寡,无小大,无敢慢,斯不亦泰而不骄乎? 君子正其衣冠,尊其瞻视,俨然人望而畏之,斯不亦威而不猛乎?"子张曰:"何谓四恶?"子曰:"不教而杀谓之虐;不戒视成谓之暴;慢令致期谓之贼;犹之与人也,出纳之吝谓之有司④。"

【今译】

子张问孔子:"如何就可以从政呢?"孔子说:"要尊重五种美德,摒除四种恶政,就可以从政了。"子张说:"什么叫五种美德?"孔子说:"君子使百姓得到好处,自己却无所耗费;安排劳役,百姓却不怨恨;希望实行仁义,而不贪图财利;安舒矜持,而不骄傲放肆;庄重威严,而不凶猛。"子张说:"怎样能使百姓得到好处,自己却无所耗费呢?"孔子说:"顺着百姓所能得到利益之处而让百姓去获得利益,不就是使百姓得到好处而自己却无所耗费吗? 选择百姓能干得了的劳役让他去干,谁还怨恨呢? 希望实行仁义而得到了仁义,还贪求什么财利呢? 君子无论人多人少,势力大势力小,都不敢轻慢,这不就是安舒矜持而不骄傲放肆吗? 君子衣冠端正整齐,目光神色都郑重严肃,使人望而敬畏,这不就是庄重威严而不凶猛吗?"子张说:"什么叫四种恶政?"孔子说:"事先不进行教育,〔犯了错〕就杀,这叫虐;事先不告诫不打招呼,而要求马上做事成功,这叫暴;很晚才下达命令,却要求限期完成,这叫贼;同样是给人东西,拿出手时显得很吝啬,这叫有司。"

① 斯:就。

② 屏(bǐng 丙):通"摒"。除去,排除,摈弃。

③ 欲而不贪:指其欲在实行仁义,而不在贪图财利。皇侃《论语义疏》:"欲仁义者为廉,欲财色者为贪。"

④ 有司:本为官吏的统称。这里指库吏之类的小官,他们在财物出入时都要精确算计。从政的人如果这样,就显得吝啬刻薄而小家子气了。

孔子曰:"不知命①,无以为君子也;不知礼,无以立也;不知言,无以知人也。"

【今译】

孔子说:"不懂天命,就无法做君子;不懂礼,就无法立足于社会;不懂分析辨别别人的言论,就无法了解认识他人。"

【注释】

① 命:命运,天命。儒家以为人在一生中的吉凶、祸福、生死、贫富、利害都是上天所主宰,都是与生俱来而命中注定的;人对之无可奈何无力改变。这是唯心主义的一种哲学观点。不过,孔子所说的"知命",也包含有一些有积极意义的内涵,如提倡要面对现实,识时务;要了解与顺应客观事物发展规律而不应与之违背;要明确人生的道义与职责等。